두 번째 산문집

수고로움

—— 밥 짓고 먹고사는 일에 대하여 ——

수고로움

발　행 | 2024년 07월 26일
저　자 | 이유경
표지, 일러스트 | 예담, 예봄
펴낸이 | 한건희
펴낸곳 | 주식회사 부크크
출판사등록 | 2014.07.15.(제2014-16호)
주　　소 | 서울특별시 금천구 가산디지털1로 119 SK트윈타워 A동 305호
전　화 | 1670-8316
이메일 | info@bookk.co.kr
저자 인스타그램 ｜ @jalmukna / @flale_books
ISBN | 979-11-410-9749-3

www.bookk.co.kr

수고로움

———— 밥 짓고 먹고사는 일에 대하여

이유경 지음

목 차

—— 우리는 누군가의 수고를
먹고 삽니다.
나를 이룬 수고의 결정체,
엄마, 아빠에게 이 책을 드립니다. ——

작가의 말

수고. 한자인 줄 알았더니 한글이다. "일을 하느라고 힘을 들이고 애를 씀."이라는 사전적 정의를 만난다. 어른이 되고 가장 많이 하는 말이 "수고하셨습니다."가 되었다. 누군가의 수고에 기대어 사는 것이 인생이라는 것을 아는 순간 어른이 된 것이다. 사람은 수고로 태어나고, 수고하며 산다. 부모의 사랑의 수고로 태어나 젖을 먹고 밥을 먹는다. 선생님의 수고로 한글과 숫자를 배워 세상을 이해하고, 농부의 수고로 생명을 먹으며 우주를 경험하고, 창조주의 수고로 따스한 볕과 맑간 공기를 누리며 겸손히 살아간다. 온통 수고로 이어진 세상이다.

나의 육아에 관한 수고가 고스란히 담긴 첫 번째 산문집 <서른아홉 생의 맛>을 출간하고 마흔셋이 되었다. 이후 2021년부터 3년간 야금야금 써왔던 기록들을 담아보기로 했다. 지금 보니 격정의 마흔살이가 고스란히 담겨 있다.

불혹이 다가오는 것에 대해 그토록 호들갑을 떨었다는 점이 부끄럽기도 하지만 이 또한 누군가에게 공감과 위로가 되리라 믿고 그냥 두었다. 어쩐지 요즘은 아무렇지도 않고 평안스럽다. 아주 평안한 건 아니고, '스러운' 정도. 단지 조금 늙고 기운 없고 꾸준히 아픈 것만 불편하지 익숙하고 안정적이고 때로는 무료하기까지 하다. 어쩜 먹고 사는 일은 매일 반복되는 지. 이토록 반복되는 거룩한 임무를 묵상하지 않을 수 없으니 글이 되었고 책이 되었다. 그래서 우리의 무료한 일상에 넙죽 엎드려 감사 인사를 드린다.

남편이 좋아하는 찰밥과 파김치를 매번 보내주시는 어머님, 내가 좋아하는 오이지와 물김치, 오징어무침 등을 보내주시는 엄마에게 깊은 감사를 드린다. (둘 다 어머니지만, 나를 낳은 어머니에게는 엄마라고 부르기로 한다. 왠지 그래야 할 것 같다.) 특히 나의 엄마는 오랫동안 워킹맘으로 살았던 강인한 여성이다. 내가 여섯 살 때 미용실을 열었다. 작은 미용실을 임차인으로 시작하여 결국 임대인이 된 분이다. 그렇게 되기까지 엄마는 달에 두 번 이상 쉰 적이 없으며, 진상 손님들을 이겨내고, 지금까지 무엇 하나 쉽게 버리지 않고 아끼고 다시 쓰며 친환경라이프의 선구자처럼 살았다. 강도 높은 육체적 노동에도 불구하고 늘 밥상이 궁핍하지 않게 수고하였다. 일이 끝나고 지하 하나로 마트에서 함께 장을 보던 기억도 많다. 그때만 해도 마켓컬리나 쿠팡처럼 편리하게 식재료를 주문하는 시스템은 없었다. 결코 매일 즐겁지 않았을 것이다. "그렇게 맛있니?"라며 언제나 맛있게 먹던 나에게 도시락을 포함한 삼시세끼를 공급하던 엄마. 그 수고하고 수고한 엄마의 모습을 기억했던 순간이 이 책의 시작이다. 밥과 수고와 사랑. 이 세 단어는 이 책의 전부이기도 하다.

이제 가스레인지 앞에 서는 일조차 벅차하시는 일흔 넘은 어머니들. 그럼에도 서울에서 반찬들이 종종 내려온다. 택배 상자를 열면 시원하고, 달고, 짭조름한 반찬들이 영롱하게 나를 바라본다. 당장 맛보고 싶지만 우선 사진을 찍기로 한다. 가로로 찍고, 세로도, 찍고 접사로도 찍었다. 배고픈 아이들은 엄마의 못 말리는 기록 사랑에 두 손을 들고 수저도 들고만 있다. 반찬 언박싱을 하는 동안 숨이 멎는다. 너희를 앞으로도 오랫동안 만날 수 있을까.

한자로 풀이한 수고(受苦)는 "고통을 받는다."이다. 아랫사람에게는 쓸 수 있고 윗사람에게는 쓸 수 없다지만 수고하는 많은 분들에게 표현할 감사의 어휘를 더는 찾을 수가 없다.

특별히 책 표지의 엄마 캐릭터, 내지의 접둥이 캐릭터 그림을 손수 그려주며 디자인 조언을 아끼지 않은 열한 살 두 딸에게 감사 인사를 전한다. 모든 밥을 맛있게 먹어준 두 아들과 늘 재밌는 소재가 되어준 남편에게도. 손주들까지 챙기고 먹이느라 수고하시는 어머님들과 아버님들. 그리고 이 책이 나오기까지 영감과 사랑을 주신 모든 분들에게도 감사의 인사를 드린다.

"수고하셨습니다. 정말 감사합니다!"

2024년 7월 이유경

수고로움 밥상 주인공 "겹둥이 남매" 소개

농구,축구, 친구들 좋아하는 1호

농구, 축구, 혼자있기 좋아하는 2호

그리기, 두부(반려견) 좋아하는 3호

책읽기, 두부(반려견) 좋아하는 4호

2SETS OF TWINS

정오입니다

2018년부터 2021년까지 아이들 초등학교 도서관에서 사서 자원봉사를 하였다. 오전 도서관 봉사가 끝나면 12시였다. "정오 12시입니다." 내비게이션도 알려주는 정오다. 특별히 일부러 알려줄 만큼 정오는 중요한 시간이다. 정오에는 대부분 무엇을 하지? 문득 궁금해졌다. 정오에 일어나는 사람도 있고, 정오가 되어 산책을 나가는 사람도 있고, 정오에 일하는 사람도 있다. 하지만 많은 이들이 정오에 밥을 먹는다. 정오는 밥 때가 되었음을 의미하는 것. 11시부터 마음속으로 정한 메뉴의 냄새가 떠오르고 설레기도 한다. 급식 때문에 학교 가는 아이들도 있다. (대한민국 무상 급식 이 자리를 빌려 감사의 인사를 전합니다.)

방학이면 삼시세끼 메뉴 고민하느라 꽤 많은 시간을 보낸다. 나는 주로 전날에 메뉴를 정하거나, 일주일치 식단을 짠다.

'무엇을 먹을까. 아니 무엇을 먹일까.

밥은 중요하다. 집밥에 길들여진 나는 점심에 컵라면을

먹이면 저녁에는 된장국이라도 끓여야 한다는 요란한 사명감을 가지고 있다. 뜨거운 물로 녹인 폴리에스테르의 환경호르몬이 뱃속으로 들어갔으니, 천연항생제 된장으로 몸을 소독해보자는 심리. 정보와 지식이 넘치는 시대라 요즘 엄마로 사는 건 쉽지 않다. 불편한 마음으로 끼니를 준비하는 이중의 고통을 지닌다. 아침에 빵, 점심에 피자라도 먹으면 저녁에는 무조건 쌀을 씻는다. 남편은 삼시세끼 밀가루 좀 먹으면 어떠냐고 했지만 이제 그도 변했다. 피자를 제일 좋아했던 그는 수입산 하얀 밀가루대신 현미 채식을 찾게 되었다. 고혈압 약 복용은 늦추겠다고 다짐하는 사십대다.

여하튼 그 날은 비도 추적추적 내리는 여름 방학이었다. 엄마 따라 도서관에 오는 대신 네 명의 꼬마들은 집에서 뒹굴뒹굴하겠다고 하던 날이었다. 숙제를 하고 텔레비전을 보기로 약속했다. 엄마가 없으니 오히려 사남매는 척척 알아서 한다. 중간 중간 착실히 보고도 했다. 도서관 봉사가 끝나자마자 나는 집근처 마트로 달려갔다. 나도 배고픈데 집에서 기다리는 아이들은 얼마나 배고플까 하며 노란 플라스틱 바구니에 물건들을 담았다. 12시 12분이었다.

"따르릉따르릉."

(실제 당시 나의 핸드폰 벨소리는 클래식한 옛날 전화기 소리였음.)

"여보세요?"

"엄마!"

"응?"

"배고파."

"........."

 평소 같으면 "그래 엄마가 곧 갈게. 먹을 거 사가지고 가서 맛있게 해 줄 테니 조금만 기다려." 등의 말을 했을 것이다. 그런데 이 날은 아무 말도 못했다. 왜인지 나는 삐진 것이다. 무더운 날씨 때문이었을까, 삼시세끼에 지쳤기 때문이었을까. 아들도 당황했던 것 같다. 나는 무거운 장바구니를 들고 씩씩 거리며 현관문을 열었다. 익숙한 풍경. 여기저기 너부러진 빨랫감, 과자부스러기, 훤히 펼쳐진 책들, 그 사이 뒹구는 내복 사남매. 나는 볼멘소리를 하고야 말았다.

"얘들아. 엄마가 어련히 알아서 밥을 차려줄까. 언제 한 끼라도 굶은 적 있었니? 전화를 하면 예의상 인사를 하던가 해야지. 어떻게 배고프다는 말만 해? 엄마가 밥 차리는 기계야? (말하면서 점점 분위기가 고조됨) 엄마도 이렇게 열심히 봉사하고 왔는데, 청소도 안 하고 정리도 안 하고 도와주지도 않고. 그저 밥만 외치다니. 실망이야. 모두 당장 들어가!"

 민망하게 자리를 떠나는 아이들. 한바탕 쏟아내고 바로 주방으로 돌진하는 나. 하지만 삐지고, 민망하고, 서로의 기분을 살피기에는 우리 모두 무척 배가 고팠다. 그래 내가 예민했던 건 배 속이 비었기 때문일지도. 익숙하게 채소와 고기를 볶고 밥을 데웠다. 다 차린 밥상에 모두 모였다.

"살 먹겠습니다!" 맛있게 질 먹는다.

"잘 먹었습니다!" 배시시 웃는다.

먹고 배부른 우리는 다시 너그러워졌다. 밥으로 사이가 좋아진 것이다. 곧 저녁 준비를 해야 하지만 뭐 괜찮다. 나도 엄마 밥이 먹고 싶다. 밥, 밥, 밥. 그렇다. 앞으로 펼쳐질 글들은 이토록 고루하고 지루하고 완루하며 또 신비롭고 재미있는 밥에 대한 이야기다. 우리를 살게 한 그 수고에 대한 오랜 이야기. 그리고 대충 막 하는데 이상하게 맛있는 이주부의 밥상 레시피. (전혀 도움이 안 될지도!) 배고파지는, 그리고 기분 좋게 배부른 책이 되길 바라며 두 번째 산문집을 시작한다.

수고로움 레시피

대충 막 하지만 이상하게 맛있는 둥둥이네 밥상

※참고: 기본 베이스 양념이 다 맛있어서 그런지 그럭저럭 맛이 납니다. 집된장과 국간장 등은 한살림 선생님들 따라 직접 만든 것들이라 훌륭합니다. 대부분 유기농 재료를 사용 하려고 노력합니다. 아빠의 건강 때문에 현미밥이 대부분입니다. 정확한 계량은 하지 않는 편이어서 맛이 뒤죽박죽입니다. 빠른 시간에 후다닥 차리는 게 특징입니다. 그러니 너무 진지하게 따라 하지 마세요. ><

짜장떡볶이와 군만두

1. 파기름을 내어 춘장을 살짝 볶는다.
2. 간장을 조금 섞어 타지 않게 볶는다.
3. 물을 한 컵 붓고 끓이며 조청을 적당히 섞어 단맛을 낸다.
4. 썰어놓은 현미 떡볶이 떡과 이묵을 넣고 푹 끓인다.
5. 양이 부족할까봐 만두를 굽는다.

가재도 키우는데

 2021년 여름. 애완동물을 그다지 좋아하지 않는 내가 당시 허락한 유일한 생물체는 '가재'였다. 사실 그동안 아이들의 애절한 눈빛을 쭉 외면해왔다. 아이들은 길고양이를 보면 고양이를 키우고 싶다, 친구네 강아지를 보면 강아지를 키우고 싶다, 할머니 댁에 가면 물고기를 키우고 싶다고 늘 말하곤 했다. 네 명의 어린 아이를 키우고, 한 명의 키 크고 장성한 인간을 돌보는 일도 벅찬 내게 강아지는 또 다른 돌봄의 대상일 뿐. 그 귀여운 얼굴은 그냥 멀찍이 바라만 보아도 충분히 만족했다.

 친하게 지내는 이웃이 블루가재를 키우고 있었다. 아들들은 그 집에 다녀오면 종일 가재에 대해 조잘거렸다. 왜 녀석들은 다른 생명을 그토록 돌보고 싶어 할까? 아니, 동생들이나 잘 볼 것이지. 물고기 한 마리 키우는데도 커다란 정성이 들어간다는 것을 나는 알고 있었다. 이제 겨우 아이들이 스스로 이를 닦고 밥을 먹게 되었는데 말이다. 난 일감을 늘리고 싶지도 않았다. 만약 가재를 키운다면 온전히 아들들의 몫이라고 단단히 일러두었다.

 "당연하지! 우리가 다 할 거야."

5학년 아들 둘은 도원결의라도 하듯이 비장하고 굳건하게 내 앞에서 약속을 하였다. 그렇게 신나게 친구네 집에서 분양을 받아왔다. 팔 하나가 없는 새끼손가락보다 작은 가재를 데리고 온 것이다. '좀 귀여운 데? 아니야 마음 단단히 먹어. 벌써 가재 한 마리에 정을 줄 작정이야?' 다시 마음을 다잡았다. 이렇게 관심을 두다간 가재는 온통 내 차지가 될 것이 뻔했다.

"다 크면 랍스터로 구워 먹어야겠다!"

깔깔 웃는 엄마의 잔인한 농담에 아들들은 진저리 치며 정말 정성껏 가재를 돌보았다. 쌍둥이 아들 둘은 돌아가면서 더러워진 어항을 닦고 물을 갈아주었다. 꽤 고된 과정이었다. 어항에 깔린 돌까지 여러 번 씻고, 정수 물을 고이 받았다. 가재는 먹는 것도 까다로웠다.

"엄마, 가재가 왜 밥을 안 먹지? 가재는 다양한 밥을 먹어야 한다는데. 엄마 새우나 오징어를 주면 안 될까요?"

"아니, 아들아. 우리도 아껴 먹는 새우를 가재에게 준다는 말이냐?"

하지만 나는 생새우와 오징어를 사서 냉장고에 넣어 두었다. 정말 가재는 사료만 먹는 것만 아니라, 새우, 오징어, 당근, 양배추도 먹었다. 그리고 주기적으로 탈피를 했다. 탈피를 하면서 없던 팔도 생기고 덩치도 커졌다. 정말 캐나다산 랍스터만 해지면 어쩌지. 아들들의 정성 덕분인지 가재는 날마다 자랐다. 엊그제는 팔에 반점이 생겼다며 며칠 내내 수심 가득한 얼굴이었다. 인터넷에서 찾아보며 소금물에 가재를 목욕시켜주기도 했다. 아니 가재 한 마리에 이렇게 할 일이야? 정말 그렇게 했다.

"얘들아. 가재 한 마리 키우는 일에도 이렇게 수고와 정성이 들어간다. 그렇지? 뭐 느끼는 거 없어?"

"뭐가?"

"아니, 감사하지 않은지."

"응?"

무고하고 순진한 아들의 얼굴이다.

"가재 한 마리에도 이렇게 정성을 쏟는데. 엄마가 너희를 먹이고 입히면서 얼마나 많은 수고를 했겠니. 그렇지? 그러니 엄마와 아빠에게 감사하지?"

"응 고맙습니다."

"응 그래. 잘 커줘서 고맙다."

교과서적인 대화에도 아들들은 기꺼이 응해준다.

가재가 노니는 물을 갈아주는 날, 밖으로 잠시 나온 가재는 어김없이 아들들의 손가락을 꽉 문다. 손가락이 물려도 기분 좋게 허허 웃는 아들들을 보며 오히려 내가 겸손해진다. 아, 저 조건 없는 사랑! 아낌없이 주는 사랑과 돌봄!! 효도는커녕 고맙다는 인사도 없이 자신을 키워준 대상에게 상처를 내는 존재에게 한없이 베푸는 미소라니.

'아들들아. 내가 굳이 감사 인사를 받으려 했다니 미안하다. 사실 너희를 키우면서 엄마는 모든 기쁨을 경험했어. 너희가 가재를 보며 꺄르르 웃듯 엄마도 많이 웃었고 행복했어. 나중에 효도 안 해도 돼. 이미 엄마는 충만한 기쁨으로 다 보상받았다!' (3년이 지난 지금은 가재는 이미 저 세상으로 갔고, 작년에 '두부'라는 반려견이 집에 왔다. 아 인생이여. 유기견에서 반려견이 되기까지 그 험난한(?) 여정은 다음 책에!)

수고로움 레시피

대충 막 하지만 이상하게 맛있는 둥둥이네 밥상

제육볶음과 상추샐러드

1. 돼지뒷다리 혹은 앞다리살을 양념한다.
2. 양념은 고춧가루, 고추장, 조청, 사과농축액, 다진 마늘, 생강청. 적당히 짭조름하고 달큰하게.
3. 양파, 파, 당근을 먼저 볶고 양념한 돼지고기를 넣고 볶는다.
4. 불을 줄이고 뚜껑 덮어 익힌 후 상추에 드레싱을 하여 곁들인다.
5. 드레싱은 청귤청과 식초를 적당히 섞어 낸다.
6. 보리 섞은 밥과 반찬들을 식판에 잘 담는다. 식판 포기 못해!

애정하는 반찬, 오이지

매년 5월. 푸르른 오이들이 가득하다. 값싸고 아삭한 오이들을 들인 친정 엄마는 매년 오이지를 담그신다. 항아리 가득 가득. 종종 썬 오이지에 물을 가득 부어 식초 한 방울, 쪽파 조금 넣어 애피타이저처럼 먹기도 하고 고추장에 매콤달콤하게 무쳐 밥반찬으로도 먹는다. 입맛 없을 때 제격인 밥반찬이다.

모든 엄마의 음식들이 그렇듯 어릴 때는 깨닫지 못한다. 그것이 얼마나 귀한지. 주부이자 엄마가 된 나는 집에서 유일하게 아껴먹는 식재료가 오이지다. 아이들이나 남편은 오이지를 좋아하지 않지만 나는 조금씩 보약처럼 꺼내먹는다. 감기 기운이 있으면 갈비탕을, 두통이 오면 짜장면을, 마음이 허하면 라면을 먹는 것처럼 나는 입맛이 뚝 떨어지면 오이지를 먹는다.

오이지. 오이지. 소금의 삼투압 현상으로 쪼글쪼글 생김새는 볼품이 없다. 하지만 이름이 정말 예쁘지 않은가! 성은 오씨요, 이름이 이지. 17세기 '외디히'라는 오이 김치가 여러 음운 현상을 겪으면서 '지'로 나타났다고 한다. 언어는 변화하였지만, 서양식 피클보다 소박한 이 맛은 앞으로도 변치 않을 것 같다. 설탕과 소금 식초에 담근 피클과 달리 오이지는 뜨거운 소금물을 부어 익힌다. 약간의 발효된 고릿한 맛과 꾸덕하게 씹히는 맛이 일품이다.

개인적으로는 앞서 말했듯이 물을 부어 식초와 쪽파를 조금 섞어 먹는 레시피를 선호한다. 가스레인지 앞에 서 있기도 힘든 무더운 한여름엔 이렇게 물오이지 하나면 밥 한 그릇을 비운다. 가족들이 먹을 반찬을 만드느라 흘린 땀을 오이지로 식힌다.

예전에 '집밥 백선생'이란 프로그램에서는 이런 사연을 본 적 있다. 'LA 편'으로 기억한다. 백종원 씨가 미국에 오래 살고 있는 한국 가족의 사연으로 직접 가서 추억의 요리를 하는 특별한 회차였다. 몸이 아픈 아버지를 위해 딸이 직접 사연을 보내 신청한 것이다. 김치찜이나 불고기, 미역국이나 배추전 등의 요리를 예상했다. 하지만 백종원 씨는 제일 먼저 무짠지에 물을 부어 밥반찬을 만들었다.

먼저 맛을 본 사연의 주인공 딸은 눈살을 찌푸렸다. "이게 무슨 맛이에요?" 백종원 씨는 웃었다. 아버지도 따라 웃었다. 드디어 아버지가 맛을 보았다. 아버지는 한 입 두 입 조심스레 음미했다. 그리고 고개를 천천히 주억거렸다. 뜨겁게 흐르는 아버지의 눈물에 당황한 가족들. 출연진들은 모두 먹먹한 마음으로 조용히 지켜보았다. 아버지는 어린 시절 마주했던 밥상, 어머니의 손, 동생의 숟가락이 한

장면처럼 입 안 가득 채워져서 자신도 모르게 울컥했다고 말하였다. 아마 많은 시청자들이 공감하였을 것이다. 음식에 의미를 부여하고 사연을 담기 좋아하는 나도 예외 없이 훌쩍거리고 말았다.

화려한 시즈닝과 소스, 오븐과 조리도구가 필요하지 않았던 그 보통의 반찬. 단조로웠지만 강렬한 그 짠지에는 영겁의 시간 속 켜켜이 어머니의 정이 쌓였음을 모두 알 수 있었다. 누구에게는 짠지, 또 누구에는 김치찌개나 된장찌개, 밍밍한 배추전이 될 수도 있을 것이다. 우리네 어머니들의 음식은 백석의 '무이징게국'처럼 시가 되고 역사가 되고 있다.

"그래서는 문창에 텅납새의 그림자가 치는 아츰 시누이 동세들이 육적하니 흥성거리는 부엌으론 샛문틈으로 장지문 틈으로 무이징게 국을 끓이는 맛있는 내음새가 올라오도록 잔다."_백석, <여우난골족> 중에서.

우리집 반찬 풍경은 때에 따라 다르다. 서울에서 400km 떨어져 살고 있는 손주들 집에 방문하는 두 어머님들의 손에는 각각 다른 것들이 담겨 있다. 시어머니는 아들이 좋아하는 파김치, 고추멸치조림, 찰밥 등을 가져오며 함박웃음을 짓는다. 친정 엄마는 딸이 좋아하는 오이소박이, 오이지, 열무김치, 오징어무침 등을 아기자기하게 담아오며 맛이 없을 거라고 거짓말을 한다. 당신의 음식에 늘 반대로만 말하는 건 무슨 심리람.

"엄마, 정말 눈물 나게 맛있어!!"

나는 정말 밥하기 싫어하는 것일까?

결혼하고 13년. 평균 하루에 두 끼를 만들었다고 생각해 보자. 일주일 5일 했다고 가정하면 2끼*5일*52주*13년 =6,760번 정도 밥을 차렸다. 결혼 3년 차부터는 4인분을 만들었고, 결혼 5년 차부터는 6인분을 만들었다. 마침 먹성이 좋은 아이들이라 일부러 3인분을 만들 필요는 없었다. 마음에 드는 반찬이 있으면 오빠들이 동생들 접시를 넘보며 "오빠가 먹어도 돼?"라고 묻기도 한다. 딸은 가끔 과자를 왼손에 쥐고, 오른손으로 먹는 스킬도 발휘한다. 대한민국 쌀 소비량이 줄고 있는데 우리는 3주에 한 번씩 10킬로그램 쌀을 산다. 인구 감소, 쌀 소비 감소. 별로 피부에 와 닿지 않는 뉴스들이다.

채소와 과일 값이 비싼 겨울은 보릿고개 못지않게 힘든 시기다. 직접 길러 먹으려고 텃밭을 대여해서 4년 동안 가꿨다. 닭도 기르고 싶었지만, 기른 닭을 잡아 백숙을 끓일 용기가 없었다. 재료를 구하고 먹을 것을 만들어 내는 창조적인 행위는 즐겁기 보다 생존을 위한 투쟁이 되었다. 이렇다 보니 점점 힘겨워졌다. 모아놓은 사진들을 보면 의아하다. 핸드폰 앨범에 식탁 위 음식 사진이 2/3 분량이다. SNS에도 자주 올렸다. 나의 열심과 노력을 전리품으로 남기듯 그렇게 주부만의 의식을 치렀다.

"나는 왜 이토록 열심히 밥을 하는 것일까?"

나의 열망을 밥에 쏟으면서도 가끔 허망했다. 음식 사진 아래 댓글에는 멋진 엄마다, 대단하다는 찬사가 쏟아졌지만 부담스러웠다. 육아와 살림과 기타 많은 일들에는 항상 역설의 감정들이 따른다. 기쁘면서도 슬프고, 즐거우면서도 지치고, 괴로운데 보람되고, 산만한데 평온한 어떤 그런 유(類)의.

아이들과 남편은 뭐든 잘 먹는다. 잘 먹지라도 않으면 멈출 핑계가 되겠는데 창조적 능력을 발휘할 수 있는 '냉장고 파먹기'도 언제나 성공적이다. 작년에는 '장 담그기'에도 참여하여 국간장과 집 된장을 만들기도 하였다. 건강한 먹거리를 찾아 잘 조합해서 만들어 섭취하면 굉장한 보람을 느낀다. 그런데도 '아유 지겨워, 하기 싫어.' 라는 생각이 종종 든다. 다시 질문한다.

"나는 정말로 밥하기를 싫어하는 것일까?"

결론은 아니다! 사실 나는 요리를 좋아한다. 손재주가 어디 내놓을 수준은 아니지만, 손으로 하는 창조적 행위를 좋아한다. 직관력과 행동력도 있어서 빠른 시간에 후다닥 몇 가지 메뉴를 만들 수 있다. 시어머니도 칭찬하는 포인트다.

"넌 언제 이렇게 다 만드니?"

게다가 먹는 것도 좋아한다. 뭐든 맛있게 먹는다. 이모는 내가 먹는 모습을 감탄하며 지켜보신 적도 있다. 먹기와 만들기 모두 좋아하는 나라는 인간은 이제 깨달은 것이다. 나는 요리라는 행위를 싫어한 게 아니라 단지 촉박한 시간 안에 전쟁처럼 치러지는 밥하기의 전후 과정을 싫어했을 뿐이라는 걸. 매우 쓸데없는 깨달음이라고 생각할 수 있겠지만, 이렇게라도 정리하니 한결 가벼워졌다.

밥하기 전 메뉴를 고민하고, 장을 보고, 재료를 다듬고, 재료 도구를 씻고, 싱크대를 정리하고, 밥 먹은 후 그릇을 닦고, 가스레인지를 닦고(제일 싫어함), 음식물 쓰레기를 모으고, 남은 재료를 정리하여 통에 담고, 식탁 아래 밥풀을 줍고, 행주를 빨고, 다시 간신히 의자에 앉아 다음 메뉴를 고민하는 일. 중간중간 어제 일, 내일 일, 현재 미해결 이슈들을 동시에 풀어나가며 해야 하는 밥하기. 가혹하게 꼬박꼬박 하루 세 번 반복되는 일. (망할 코로나.) 이 과정을 싫어했던 것뿐이다.

가끔은 며느리 없는 친정 엄마가 가엽다. 사위가 해준 밥을 먹어보거나 남편이 온전히 만들어준 (장보기부터) 식사를 대접받은 적이 없을뿐더러 그런 걸 기대도 않고 원하지도 않은 엄마는 여전히 부엌에서 헤어 나오지 못하고 있기 때문이다. 우주 최강 부지런쟁이요, 사업과 살림을 놓지 않은 존경스러운 분이지만 어쩌면 '슈퍼 파월 여성 신드롬'에 갇혀 나의 이 피곤한 질문을 외면하고 관절이 닳도록 45년 넘게 밥하기에 몰두했을지도 모르겠다.

이럴 줄 알았으면 대학교 안 다니고 등록금으로 세계여행이나 다니며 세계 각국 음식들이나 맛보는 건데. 괜히 대학이란 곳을 갔나 하는 생각도 든다. 좀 극단적인 생각을 이렇게 몇 번 하며 끙끙 앓으면 또 잊고야 만다.

충분히 가치 있고, 의미 있고, 사랑스러운 일임을 누가 모르겠는가. 그럼에도 이렇게 구구절절 칭얼대며 글로 남기는 것은 아인슈타인의 말처럼 "타인의 기쁨에 기뻐하고, 타인의 슬픔에 슬퍼하는" 풍요로운 삶을 위한 아주 작은 몸부림이기 때문이다. 40년이 지나 이제야 나는 어머니들의 기쁨과 슬픔을 헤아린다. 그리고 나의 이 슬픔과 기쁨을 흠뻑 먹고 자란 아이들은 성장하며 일상을 아주 잘 누리고 있다. 칙칙 밥이 익어가는 소리가 들린다.

수고로움 레시피

대충 막 하지만 이상하게 맛있는 둥둥이네 밥상

봄맞이 건강밥상

1. 조기보다 조금 비싼 민어조기를 사서 녹말가루, 소금 간하고 기름에 구운다. (2만원)
2. 돈나물은 왜 돈나물일까. 사실 돌나물이라고 불리는 맹맹한 이것들을 초고추장에 미리 좀 버무린다. (2천원)
3. 엄나무 순을 데쳤다. 염증 해소에 좋단다. (1만원)
4. 친정 엄마가 직접 말린 감말랭이와 배, 사과, 딸기에 마요네즈 조금 넣고 옛날 사라다를 만들었다.(냉장고에서 오랫동안 대기 중이던 아이들)
5. 현미밥과 미역국. 그리고 막내딸이 직접 데려온 철쭉으로 봄맞이 밥상 완성. 시장에서 돈 좀 썼다.

아빠는 캡틴큐

술자리나 분위기를 좋아하는 사람은 나다. 술 자체는 쓰고 맛이 없다. 취하는 것도 싫고, 근육이 늘어지는 것도 별로다. 술 좀 마시는 게 자랑처럼 되어버린 문화에서 나도 한때 오이소주, 딸기소주, 요구르트소주, 깡소주를 번갈아 마시며 멀쩡하게 집에 들어가던 스무 살 시절도 있었다. 외모로 보나, 기질과 체질로 보나 아버지를 제일 닮은 덕이다. 아버지는 술 그 자체를 사랑하신다. 기호나 취미가 아닌 사랑이다. 그냥 바라만 보아도 설레고 떨리고 기분이 좋은. 입술을 꾹 다문 채로 무표정한 대한민국 가장들이 활짝 웃는 순간. 밥상에 술 한 병 올라오는 날, 흐린 날 구름이 몰려가 순식간에 사라지듯 그렇게 환하게 아버지의 주름이 펴지는 걸 보며 자랐다.

환한 미소로 미지근한 소주를 글라스 잔에 가득 따르며 밥을 한 수저 뜨신다. 9년 전 내가 인도에 살 때 딸을 찾아온 아버지 묵직한 배낭에는 참이슬 팩소주 30개가 있었다. 큰아버지와 함께 마시려고 직접 준비해 오신 것이다. 당연히 어머니는 질색팔색 진저리친다. 어머니는 결혼하고 귀가하지 않는 남편을 기다리느라 잠을 거의 못 주무셨다고 한다. 핸드폰은커녕 삐삐도 없던 시절이다. 어디 전봇대 아래 쓰러져 있진 않을까, 나쁜 일이라도 당하지 않았을까, 구로역 벤치에 잠들어 막차를 놓치기라도 할까 봐 엄마는 늘 발을 동동 굴러야 했다. 한 번은 화가 난 엄마가 아버지의 양주 '캡틴큐'를 한 병 다 드셨다고 했다. 35도의 불타는 분노를 식도로 다 넘겨 보낸 어머니를 보고도 아버지는 꿈쩍도 안 하셨다고.

 장인어른 레벨보다 하수지만 술 좀 하는 둘째 사위 덕에 조금 더 떳떳하고 즐겁게 집에서 술로 적시는 아버지. 엄마와 동생과는 달리 그런 아버지를 나는 싫어하거나 불편해한 적은 없다. 목소리가 커질 뿐 되레 지갑이 열리고 먹을 게 생기니 어릴 때는 더 좋아했던 것 같다. 게다가 나는 아버지와 소름끼치게 닮지 않았었는가. 새내기 대학생이던 나는 오티, 미팅, 소개팅, 온갖 자리에서 다양한 술을 마셔댔고, 심지어 오티 때 선배들이 따라주는 소주를 못 마셔 쩔쩔매는 친구의 잔을 몰래 비워준 적도 있었다. 그때 느꼈다.

'아, 위험하다. 나는 누구의 딸이던가.'

엄마는 지금도 말한다.

"너는 한 번도 취해서 실수한 적이 없었지."

술꾼의 딸을 인정하는 엄마의 회상.

"그래서 내가 너 교회 간다고 해서 좋아했던 거야. 교회 다녀서 유일하게 좋은 점이었지."

하지만 나는 한 학기 만에 학교를 때려 치고 다시 수능을 봤고, 지금의 남편을 만난 학교에서 환골탈태하였다. 종교를 갖게 되고 신앙생활을 하면서 자연스레 술과 멀어졌다. 금주는 교리의 절대 항목이 아니었지만 스스로 10년간 금주를 하였다. 취한 상태에서는 (잘 취하지도 않았지만) 主님을 예배할 수 없었기 때문이었다. (酒님 아님.)

금주를 깬 건 육아가 끝난 하루 끝에서였다. 말벗도 없고, 잠도 못 자고, 고된 노동 후에 피폐한 육체로 맞이하는 맥주 한 잔은 구원과도 같았다. 主님도 충분히 이해하셨으리라 생각했다. 主님도 즐거운 잔치와 휴식에서는 포도酒를 즐기지 아니하셨던가. 물론 체질은 바뀌어 맥주 한 잔으로도 충분했다.

어릴 적 아버지가 술에 취해 사 오시던 통닭 냄새가 아직도 선명하다. 은박지로 둘둘 싼 통닭의 기름이 종이 가방에 베어 투명해질 때 들어오시던 아버지. 그 아버지께 오늘 문자를 보냈다.

"아빠에게 술이란 뭐야?"

단체 톡방에서 한 마디도 안 하던 아버지의 빠른 답장. 7분 만에 왔다. 이례적이다.

"인생 상담사이며 나의 만족, 나의 대화 상자."

엄마가 옆에 있었다면 또 눈을 흘겼겠다. 나는 허허 웃음이 나왔다. 설날인 오늘도 아버지는 거하게 취하셔서 멀리 있는 손주들에게 영상통화로 지갑에 있는 모든 현찰을 다 꺼내 보이셨다. 그리고는 진짜로 세뱃돈을 계좌로 보내셨다. 직접 얼굴을 마주하고 보내는 명절은 아니지만 배부른 취기에 주고받는 즐거운 마음들, 엄마 빼고 모두 웃는 즐거운 명절에는 아버지의 한 잔이 있었다. 이제 캡틴큐는 단종이 되었으니 엄마도 조금 즐겼으면 하는 아쉬운 마음에 라임과 진저에일을 섞은 하이볼을 맛있게 말아 대접해 본다.

"너는 가서 기쁨으로 네 식물을 먹고 즐거운 마음으로 네 포도주를 마실 찌어다 이는 하나님이 너희 하는 일을 벌써 기쁘게 받으셨음이니라."

_전도서 9장 7절.

수고로움 레시피

대충 막 하지만 이상하게 맛있는 둥둥이네 밥상

우리끼리 설명절 밥상

고향에 가지 못하여 울산에서 홀로 차린 설 명절 밥상. 모두 떡국이
지겹다 하여 돼지갈비찜과 홍게찜, 도토리묵무침으로 분위기를 내어
보았다. 여섯 식구 2.5kg 돼지갈비 클리어. 돼지갈비는 1-2시간 물에
담근 후 핏기를 빼고 배, 양파, 마늘, 생강, 간장, 설탕, 매실액 등의
재료를 한꺼번에 갈아 양념장을 만들어 버무린다. 과일이 없다면 배
나 사과액기스를 준비했다가 써도 된다. 무, 밤 등과 같이 조리면 끝.

남편 빼고 다 바꿨다

 2007년 잠실 L 백화점. 친정 엄마 뒤를 따라 쫄래쫄래 가는 나는 마냥 즐거웠다. 모아 놓은 돈도 없고, 당시 학생 이던 남자를 만나 사랑해서 결혼하겠다는 만 스물여섯 철 없는 딸의 미소는 천진하고 난만하며 산만했다. 백화점 혼수 매장의 물건들을 고르며 흥정까지 시도하는 엄마 앞에 그저 나는 고개만 끄덕이며 헤헤거렸다. 지금은 잘 쓰지 않은, 잘 깨지지도 않는 도자기 그릇을 고를 때도 말이다. 그때 정신만 차렸더라면, 조금만 센스를 장착했더라면 그 그릇을 고르지 않았을 텐데 하는 쓸데없는 후회도 한다. 언젠가 코렐도 레트로로 대접받는 날이 오겠지. 1) 그렇게 코렐 접시를 고른 엄마는 다른 가전제품과 가구들을 고르면서도 칼은 사지 않았다. 칼만큼은 사돈 쪽에서 사줘야 한다며 엄마가 그 어떤 떠도는 미신들을 주장했다. 그런

---

1) 이 글을 쓴 이후 몇 년이 지났다. 요즘은 코렐이 예쁘게 디자인 되어 레트로로 각광받고 있다.

게 어딨냐며 칼을 장만하고 싶었지만, 곳간의 열쇠는 엄마에게 있었기 때문에 결국 칼 빼고 대부분의 살림살이를 장만했다. 지금 당시 장만했던 혼수들은 대부분 사라졌다. 해외로 이사를 다니고, 지역을 옮겨가며 살았기에 팔거나 버리거나 바꾸거나 하였다. 그럼에도 남편만큼 유일하게 내 옆에 꼭 붙어 있던 녀석이 있었다. 전기밥솥이었다.

나는 한국인 하면, 김치보다도 밥이 먼저 떠오른다. 밥이 주는 어감도 좋고 한글 자모 ㅂ(비읍)의 모양도 예뻐 가만히 들여다본다. 따뜻하고, 촉촉하고, 배부르고, 긴장이 풀린다. 밥은 만든다고 하지 않고 짓는다고 한다. '짓다'는 사람이 살아가면서 가장 중요한 것에 짓는다는 표현을 쓴다고 한다. 한자 作 (지을 작)에서 나온 말로 추측이 된다. 집을 짓듯이, 정성스레 밥을 짓는 것은 수고와 애씀이 들어간다는 의미이기도 하다.

주부의 수고를 덜어준 전자제품 대표는 전기밥솥이다. 빠른 시간 내에 찰진 밥을 만들어내는 압력밥솥도 많이 쓰지만, 자주 들여다볼 필요가 없고 따뜻한 보온 기능이 탑재된 전기밥솥을 더 많이 사용한다. 외국인들도 한국에 오면 제일 먼저 사는 제품이 아마 이 '전기밥솥'일 것이다.

내솥과 패킹만 몇 번 갈아주면 10년 이상은 쓴다. 하지만 그 10년을 20년처럼 살았던 탓일까. 과도한 노동과 수고에 전기밥솥은 생을 다하고야 말았다. 이상하게 슬펐다. 텔레비전을 바꾸거나 정수기를 바꿀 때와는 전혀 다른 감정이었다. 하지만 먹먹한 마음은 잠시. 금사빠 나는 당장 새로운 밥솥을 검색했다. 사실 그동안 밥이 잘되지 않아 불편했던 차라 IH 고기압 기능이 있는 블랙 컬러의 밥솥을 골랐다.

"안녕하세요. ㅋㅜㅋㅜ 입니다."

아, 카랑카랑한 목소리. 신세계였다. 이제 오분도미에서 올현미로 갈아탄 우리 집에서는 압력밥솥만큼 찰진 현미밥을 지을 수 있기 때문이었다. 나는 너무나 감동한 나머지, 그녀에게 오글오글 편지를 쓰고야 말았다.

13년 만에 만난 새 짝꿍에게.

나는 늙었는데, 너의 목소리는
더 맑고 활기차졌다.
내솥과 패킹을 여러 번 바꾸었지만,
스팀이 슬슬 새던.
포슬포슬한 밥을 만들어내지 못한 옛 짝꿍은
아마 월E처럼 고철들 사이를 돌아다니겠지.
쌍둥이 넷을 키워낸 옛 벗의 수고를
나는 기억하고 있다.
한국 사람은 밥심이라고,
오로지 밥만 해대는 이 기계에
주부들은 왜 이토록 설레는지.
아이들이 중학교, 고등학교에 가도
나와 함께 취사병으로 일할 새 짝꿍.
어쩌면 하루에 두 번 일할지도 몰라.
밥을 많이 하기 좋아하는 주인 때문에
너의 보온기능은 매뉴얼 12시간을 넘겨
40시간을 훌쩍 넘길지도 모르고.
중학생이 된 아들들이 수시로 너를

열어 밥을 비벼 먹을지도 모르겠다.
미리 잘 부탁할게.
우리 오래가자.
잘 왔어!

　홍보 글 아니다. 세탁기 다음 소중한 주부의 밥솥에 감동
한 나머지 쓴 글이다. 밥솥 옆 에어 프라이어, 믹서기들이
서로 옥시글옥시글 어우러져 부엌을 채우니 참 재밌다. 그
들의 소리와 스팀 덕에 따뜻하고 촉촉하고 배부르다. 이제
뭘 바꾸나. SNS에서 내 글을 엿보던 남편의 미세한 떨림은
기분 탓이겠지.

시와 밥과 잔나비

당신의 우울을 견디는 것들에는 무엇이 있는가. 우울을 꼭 견뎌야 하는 것은 아니다. 그냥 아픈 채 끌어안고 살아갈 수도 있다. 내가 감히 우울에 대해 무엇을 이야기할 수 있을까. 정말 마음 깊이 허무와 고통에 대해 아파하는 분들 앞에서는 조심스럽다. 첫 번째 산문집을 쓸 때 처음 서두에 이렇게 썼다.

"설거지를 하다가 먼지처럼 사라지고픈 그대에게."
_《 서른아홉 생의 맛 》 중에서, 이유경, 꽃고래책다방

빨래를 하다가, 설거지를 하다가 그냥 이대로 녹아 없어졌으면. 사라졌으면 하고 생각한 적이 있었다. 지금은, 시간 때문인지 그냥 빨리 끝내버리자-라고 털어버리니 한때 고민했던 많은 문제들이 아무렇지 않게 느껴질 때도 있다. 우울은 그렇게 계절을 따라 잠시 들렀다 가고, 세월을 따라 머물나 갔다. 가벼운 감기처럼 그렇게 오다 가면 다행이었다.

어젯밤 친구에게 다급한 카톡이 왔다.

"유경아 잔나비 콘서트 한다. 빨리 텔레비전 틀어봐."

그 톡을 확인했을 때는 이미 새벽. 집집마다의 콘서트의 열기와 환호는 아쉽게도 내게 전달되지 못했다. 아쉬운 마음에 다음 날 아침 잔나비 콘서트 영상을 찾아 1시간 내내 노래를 부르고 춤을 췄다. 그래서 후련하게 홀연히 아쉬운 마음을 떠나보냈다.

"자고 나면 괜찮아질 거야
하루는 더 어른이 될 테니
무덤덤한 그 눈빛을 기억해
어릴 적 본 그들의 눈을
우린 조금씩 닮아야 할 거야"
_《꿈과 책과 힘과 벽》 중에서. 잔나비

그리고 혼밥을 먹었다. 뜨거운 고구마 위에 버터 한 조각. 커피를 내리고, 아이들이 아침에 먹고 남긴 빵 한 조각도 집는다. 혼밥이 즐겁다. 가족들과 식탁에 둘러앉아 먹고 나누는 일도 더할 나위 없이 기쁘다. 하지만 혼밥의 시간이 없으면 그 시간도 없다. 홀로 존재하지 않으면 함께 누림도 없다. 그것은 누구나 알 수 있는 불변의 워라벨 국룰 아닌가. 하지만 쉽지 않다는 것도 안다. 끝없이 수고해야 한다는 저주에서 우리는 벗어날 수 없다는 것. 그 저주가 달콤하게 노동과 생산과 열매의 기쁨으로 진통제가 된다는 것도 안다.

그렇기 때문에 늘 우리는, 아니 나는 음악과 밥을 취한다.

잔나비, 스키니브라운, 첸, 규현, chet baker, fyfe, james smith, coldplay, the vamps, 이문세, 공일오비, 김광석, 데이식스, 짙은의 노래를 질릴 때까지 듣는다. 뽀처럼 아이들이 학교에 모두 등교하는 날이면 점심에 고구마, 샐러드, 라면, 샌드위치 따위를 홀로 만들어 먹는다. 마지막으로 시를 읽는다. 소설도 읽고 에세이나 잡지도 읽는다. 때로는 가볍고, 가끔은 따분한 활자들을 고루 섭취한다. 산뜻한 어휘를 발견하고, 재밌는 문장에 감탄하고, 한 번도 얼굴을 마주한 적 없는 타인의 세계에 발을 들여놓고, 1981년 전 오랜 그들의 일상을 엿본다. 이제 쓰기는 내게 즐거움이자 고통 그 자체라 특별히 이 글에 언급하지 않았다. 그냥 쓰기는 내가 되는 중이다.

홀로 조용히 음식을 저작咀嚼하는 일. 음악에 마음을 놓이는 일, 그리고 닥치는 대로 읽어 들이는 일. 이 세 가지는 나의 우울을 견디고 생을 사랑하도록 돕는 것들에 해당된다. 당신은 어떠한가.

"쓰는 것은 작가가 되기 위해서가 아니다. 사랑에 이르지 못하는 모든 사랑을 침묵으로 결합하기 위해서다."
_크리스티앙 보뱅, <낮은 땅의 사람들> 중에서.

수고로움 레시피

대충 막 하지만 이상하게 맛있는 둥둥이네 밥상

혼밥도 좋아

홀로 즐기는 끼니다. 뜨거운 버터와 고구마의 조합은 환상이다. 쑥찐
빵과 오곡라떼는 모두 한살림 제품이며 찐 옥수수와 찐 감자, 김말이
도 점심으로 제격이다. 구운 빵 위에 참치와 치즈만 올려도 간단한
점심이 해결된다. 혼자 있다고 결코 대충 먹지 않는 게 수고로움 레
시피의 포인트다.

그녀도 먹고 사는 고민에서 시작했다

정주영 회장은 말했다.

"장사를 하면 돈을 법니다. 장사를 해도 돈을 못 번다면, 그건 본인 잘못입니다."

뭐든지 만들어서 팔면 되는 시대가 있었다. 하지만 요즘은 그렇게 막무가내로 저렴한 물건을 떼다가 판다고 먹히는 시대가 아니다. 시장에는 소비자, 판매자, 플랫폼(유통)이 있다. 소비자는 점점 까다로워지고 있고, 판매자는 최대한 많은 수익을 남기려고 한다. 건강한 플랫폼이 요구되는 시점이다.

텀블벅이나 와디즈처럼 단순한 구매 사이트가 아니라 기업을 이해하고 후원하고 있는 시스템도 있고, 한살림이나 아이쿱처럼 조합원과 생산자의 거리를 줄여 건강한 먹거리를 만들어내는 시스템도 있다. 애터미, 암웨이처럼 네트워크 마케팅으로 소비자가 직접 판매자가 되는 구조도 있고, 쿠팡이나 지마켓, 홈쇼핑 등 인터넷 판매를 중점적으로 하는 플랫폼도 있다. 이렇게 다양하고 활발한 시장 속에서 마켓컬리는 과연 독보적이었다. 이 모두의 장점들을 하나씩 뽑아 개선한 느낌이랄까. 개인적으로는 목초 우유와 버터를 찾다가 마켓컬리까지 들어가서 가입하게 되었는데, 생각보다 괜찮아서 소비자로서 만족하고 있다. 게다가 포장지까지 올 페이퍼 챌린지를 실현하고 있으니 마켓컬리에 대해 더욱 궁금해 졌다. (광고 글 아님 주의!)

스타트업 회사로 50억 원을 투자 받아, 4년 만인 2019년에 389만 명 회원과 4289억 원 매출을 올린 마켓컬리. 소비자는 언제든지 등을 돌릴 수 있기 때문에 김슬아 대표는 더욱 VOC에 집중했다. (VOC 란 voice of customer의 약자로 고객 불만, 고객의 목소리를 말한다.) 고객 가치를 향한 집념, 공급사와 지속가능한 협력, 디테일 경영 실현을 위한 운영 프로세스 실행, 빠른 배송뿐 아니라 고객의 마지막 경험을 극대화하는 라스트핏, Curlyway라고 부를 수 있을 만큼의 건강하고 독특한 조직 문화는 마켓컬리를 단단히 버티고 있는 힘이라고 하였다.

나는 김슬아 대표의 학력보다 그녀의 먹거리에 대한 생각과 가치가 더 빛을 발휘했다고 생각한다.

"당시 제게는 '먹고 사는 문제'가 굉장히 큰 화두였고 아무도 이것을 해결해 주지 않는다는 일종의 갈등이 있었습니다. 먹지 않고 사는 사람은 아무도 없고 모두 먹는 것만큼은 좋은 걸 먹어야 한다고 말하는데, 깐깐한 주부의 입장에서 볼 때 제대로 된 건 하나도 없었습니다. 제가 아마도 유기농 업체에는 블랙 컨슈머로 등록돼 있을 거예요 "라벨 제대로 표기된 게 맞나요? 조회를 해보니까 틀린

것 같아서요." 이런 까다로운 전화를 굉장히 많이 했거든
요. 생각보다 체계적으로 관리되는 브랜드가 적었고, 문의
를 남겨도 다시 제가 전화하기 전까지는 답을 받지 못하는
일도 많았습니다. 저 같은 주부들에게는 상당히 민감한 문
제였는데 말이지요. 이 산업에도 분명 혁신이 필요하다고
생각했습니다. '하이테크 산업에서 일하는 방식으로 식품을
다뤄본다면 내 삶부터 바뀌는 기쁨을 누릴 수 있겠다'하는
동기도 작용했던 것 같습니다.(72p)"
_ 《마켓컬리 인사이트》, 김난도, 다산북스

 더. 더. 더. 많이. 많이. 많이. 끝없는 소비를 재촉하는 현
대 사회에서 우리는 소비를 하지 않고는 살 수가 없지만
줄일 수는 있다. 그리고 좋은 것을 선택할 수 있다. 그것이
경쟁 사회의 유일한 점일 것이다. '마켓컬리'도 결국 소비
자의 현관문을 지키기 위해 끝없이 노력할 테니까. 천혜의
자연환경을 가진 제주도의 목장에서 농장주를 설득시켜
PB우유를 만들어내듯 유통이 생산을 리드하여, 대량생산
과 비윤리적인 생산을 바꾸고 착한 생산자들을 보호할 수
있지 않을까. 그녀의 먹고 사는 고민이 디테일이 되어 시
장을 장악한 '마켓컬리'를 보며 한 자 적어보았다.

머리카락의 무게

　남편은 눈치 없기로 일등이다. 그 커다란 눈을 하고 내 비어가는 정수리를 쳐다본다. 다음 생일 선물로는 이영애가 선전하는 탈모관리 기계를 사주겠다고 한다. 무료체험도 있다며 내게 문자를 보낸다. 하, 이를 어쩐다. 어디 가서 우리 와이프 탈모이니 도와주세요, 할 것만 같다. 왜 그런 거 있지 않은가. 말하면 더 눈길을 주게 되는. 이왕 이렇게 된 거 나는 책으로 탈밍아웃을 하여 사람들의 은밀한 눈총을 정수리로 받을 각오를 하기로 한다.

　네 아이를 낳고 키우고 나이 앞자리가 3에서 4로 바뀌며 나의 머리카락은 빛의 속도로 하수구를 향해 달려갔다. 닭은 달걀 하나를 낳을 때마다 자기 몸의 칼슘 50배를 쓴다던가. 1년 동안 필요 이상의 산란을 해야 하는 닭은 칼슘 부족으로 날개가 부러지고 힘없이 주저앉는다고. 여자는 아이를 몇 명까지 낳아야 뼈에 구멍이 나거나 머리카락이 빠지는 경계까지 가지 않을까 궁금해졌다. 건장한 사내 녀석 둘, 딸 둘을 한꺼번에 낳은 나는 뒤늦게 두려워지기 시

46

작하여 칼슘과 단백질을 챙겨먹고, 맛없는 두유도 매일 마셨다. 하지만 골밀도감소증과 탈모는 크게 나아지지 않았다.

기약 없는 두유는 못 미더워 샴푸 유목민이 되었다. 정말 열 개도 넘는 회사 제품을 다 써본 것 같다. 천연샴푸, 탈모샴푸, 천연계면활성제가 들어 있는 한방샴푸, 천연샴푸, 탈모샴푸, 두피강화샴푸를 모두 써보았다. 플라스틱 용기를 줄이고자 샴푸바를 사다 쓰기도 했지만 민감한 두피는 늘 말썽이었고, 머리카락 빠짐에는 별다른 변화가 없었다. 노푸는 최악이었다. 결국 샴푸나 두유가 문제가 아니라는 걸 깨달았다.

스트레스. 스트레스라는 단어를 쓰는 순간 스트레스가 쌓인다. 하여간 그 스트레스가 원인 같았다. 감정적으로 감당이 안 되거나, 한꺼번에 많은 일이 밀려오면 심장이 불규칙하게 뛰고, 머리가 뜨거워지며 열이 난다는 것을 알게 되었다. 한의학적으로 어떤 체질인지는 잘 모르겠으나 열이 주로 위로 올라오는 듯했다. 요가매트에서 폼 롤러에 누워 몸을 풀며 호흡을 천천히 하면 도움이 되지만 감당하기 쉽지 않은 일들이 파도처럼 너울대며 나를 덮치기 시작하면 숨쉬기조차 어렵게 느껴졌다. 모든 것이 무겁게 느껴지는 것이다.

문득, 내 머리카락이 너무 무겁다는 생각이 들었다. 극세사처럼 얇고 겨우 어깨까지 기른 머리카락이 무거우면 얼마나 무겁겠는가. 저울에 달면 100g은 되려나? 내게는 그마저도 무겁게 느껴졌다. 미용실에 기서 귀밑 길이로 싹둑 쳐냈다. 1만 원만 추가하면 두피와 탈모관리를 해준다

기에 신청했다. 머리가 한결 가벼워졌다. 중력이 약해지지 정수리가 조금 풍성해지는 느낌도 들었다.

 귀 아래 5cm 길이의 머리카락도 무겁게 느껴지는 나이. 어깨 아래로 찰랑찰랑 긴 생머리를 휘날리던 20대를 떠올리니 세월이란 놈이 무정하고 야속하다. <멜로가 체질> ost 음악을 들으며 서글픈 마음을 달랜다.

"흔들리는 꽃들 속에서 네 샴푸향이 느껴진 거야."

 이제 찰랑거릴 머리도 없는데 가슴은 눈치 없이 흔들린다. 꽃에도 흔들리고, 음악에도 흔들리고, 아이들의 티 없는 웃음에도 흔들린다. 머리카락의 무게를 못 견딜 나이지만, 다양한 것들을 견디기로 한다. 가령 타인의 시선 같은. 아리고 매운 대파 같은. 사랑하는 사람을 책임질 무게감 같은. 그런 것들은 제법 잘 견디고 있는 것에 위안을 삼는다. 가련하고 가볍고 볼품없는 어른을 만나면 함부로 판단하지 마시라. 잃은 만큼 견디고 단단해진 어른이니까.

수고로움 레시피

대충 막 하지만 이상하게 맛있는 둥둥이네 밥상

가지볶음

1. 가지와 감자, 양파, 고추 등을 큼직하게 썬다.
2. 마늘과 파로 기름을 낸다.
3. 익히기 어려운 감자부터 익힌다.
4. 나머지 야채를 넣고 휘리릭 볶다가 가지를 마지막에 넣는다.
5. 가지가 반투명해지면 간장과 굴소스를 조금씩 넣고 간을 맞춘다.

가지연두부 샐러드

1. 가지를 길게 썰어 찜기에 넣어 5분 찐다.
2. 양념간장을 만든다. (간마늘, 다진파, 매실, 식초, 간장, 들기름, 깨소금)
3. 식힌 가지와 연두부를 접시 위에 올리고 양념간장을 뿌린다.

가지의 안토시아닌, 베타카로틴, 비타민A, 비타민B3 등이 두피를 건강하게 해주길 바라며 가지요리를 사랑하는 중이다.

저녁밥에서 얻는 용기: 깍쟁이 물리치기 대작전

 네 아이들과 저녁밥상에 둘러앉았다. 오늘 있었던 일, 재 밌던 일, 슬펐던 일, 급식 메뉴 등에 대한 이야기를 나누는 시간이다. 요즘 우리 집 밥상의 최대 이슈는 딸둥이 반의 "깍쟁이 무리를 어떻게 이겨내는가"이다.

 전학 온 지 한 달째. 동생들에 비해 오빠들은 새로운 학 교에 대해 매우 만족하는 중이었다. 열두 살 정도 되니 유 치찬란한 어휘와 행동이 좀 줄어들고 배려하며 쉽게 잘 어 울리는 것 같았다. 반 친구들도 잘 기다려주고, 고맙게도 선생님들의 열의와 정성, 관심도 한몫했다.

 문제는 아홉 살 딸들이었다. '아홉 살 인생'이라는 영화도 있지만 당시 아홉 살들은 여덟 살 때 학교를 제대로 다녀 본 아이들이 아니었다. 코로나로 1년 동안 거의 등교를 하 지 않았기 때문. 공동체 의식과 문해력(文解)이 다소 부족 했고 (어디까지나 제 개인적인 의견입니다 :)) 유치한 행 동도 많았다.

딸들의 피셜에 따르면 포도(가명)는 몇몇 여자애 무리들을 끌고 다닌단다. 큰소리로 3호에게 구박을 주는데 무슨 말만 하면 나무란단다. 당당하게 왜 말하지 않았냐고 물으니 3호가 울기 시작했다. "나는 전학생이잖아. 우선 아이들 말을 잘 따라야 한다고." 우선 계속 아이들 말을 들어보기로 했다.

 또 다른 아이 참외(가명)는 소리를 잘 지른단다. 사투리로 윽박을 지르니 더 무섭다고 했다. 4호가 줄을 잘 맞추지 않거나, 잘 듣지 못하면 너는 왜 그러냐고 잘 좀 하라고 구박을 한단다. 전학 오기 전 모든 반 애들하고 친구 삼고, 개그맨처럼 친구들을 웃겨주던 4호는 다시 돌아가고 싶다고 엉엉 울었다.

 나는 딸들의 마음이 느껴져 속상했지만, 엄마가 나서서 해결하면 결국 나머지 학기에 아이들이 힘들 수 있으니 딸들이 대처할 수 있도록 경계를 설정해 주고, 거절의 표현을 할 수 있도록 도와주었다. 한 번에 잘 되진 않았다. 최후의 방법을 쓰기로 했다. 오빠를 무기로 쓰라고 가르쳤다. 이것은 다자녀 대가족의 특권 아니겠는가.

"야, 우리 오빠 5학년이야. 두 명이나 있어. 엄청 키 크고 무서워! (사실 안 무서움. 순둥이임.) 진짜야. 못 믿겠으면 이따 12시에 대공원으로 나와. 뭐? 싫다고? 겁쟁이야? 아니라고 어쩔 거냐고? 됐어. 너 친절하게 말하지 않으면 나도 너랑 말 안 해."

 애들이 엄마의 연기를 보고 있자니 우스워 깔깔거리며 박장대소한다. 입안의 밥풀이 튀어나오며 훌쩍거린다. 엄마의 조언은 깍쟁이들에게 씨알도 먹히지 않겠지만 딸들은 상상

만으로도 재밌어한다. 순둥이 오빠들도 조용히 따라 웃는다. (이 녀석들은 지금도 엄마의 재롱에 자주 우스워한다.)

1호 오빠는 밥을 먹다가 장남답게 한 마디를 거든다.

"근데 그런 애들도 좀 크면 성격이 바뀌기도 해. 나도 옛날에 욕 잘하는 애들 무서웠는데, 나중에는 친해졌어. 나름 착하더라고."

2호도 조언을 준다.

"선생님한테 말해. 그래도 안 되면 상대 마. 근데 원래 너도 대꾸 잘 하잖아."

동생들의 말발에 밀리던 2호 오빠의 솔직한 팩트 체크다. 오빠들의 말이 엄마의 연기력보다 더 힘이 되었는지 3,4호 동생들은 기분 좋게 밥을 끝까지 먹는다.

<깍쟁이 물리치기> 아니 <깍쟁이 다루기>는 어른이 되어도 참 힘든 영역이다. 나 같은 경우는 '관계 회피형'이다. 그들을 상대할 에너지와 시간을 줄이는 것이다. 어떤 관계들에 휘둘리기 전에 발을 뺀다. 거절을 잘 못하는 성격 탓이기도 하다. 하지만 같은 공간에서 1년을 함께 지내야 할 아이들에게는 어려운 일이다. 적절한 거리두기와 무시, 배려와 존중이 한꺼번에 이루어져야 하는데 조금씩 연습이 필요하다. 사회생활은 학교에서부터다.

저녁밥을 맛나게 다 먹은 막내 4호가 진지하게 말한다.

"엄마, 그래서 내가 '무엇이든 시계'를 빨리 발명하려는 거야. 시간을 되돌릴 수 있고, 어디든 갈 수 있는 시계 말이야!"

조만간 '무엇이든 시계'를 만들어 옛날 학교로 돌아갈 것만 같은 비장한 표정이다. 친구들을 실컷 웃겨주고 도서관에서 책을 보다가 돌아왔던 날들이 얼마나 그리웠을까. 오늘도 깨끗이 비운 식판을 보니 3호와 4호는 어느 정도 감을 잡은 것 같다. 딸은 사실 오늘 용기 내어 깍쟁이 친구에게 "알았어, 그런 식으로 말하지 마."라고 작은 소리로 말했단다. 엄마의 유쾌한 조언과 오빠들의 건조하지만 진심어린 격려에 쓸쓸하고 생채기 난 마음이 여며지는 중인 딸들. 우린 한 집 아래 모여 뭉친 家族이다. 참, 아쉽게도 아빠는 퇴근 전이다.

수고로움 레시피

대충 막 하지만 이상하게 맛있는 둥둥이네 밥상

고소한 쌈장

1. 매실, 조청, 간 마늘 한 큰 술씩 섞는다.
2. 된장 : 고추장 = 2 : 1 비율로 1에 넣어 잘 섞어 준다.
3. 땅콩크림(한살림)과 볶은 콩가루를 조금 넣어준다.
4. 절구로 빻은 참깨와 참기름 혹은 들기름을 넣어 마무리.
어디에나 어울리는 고소하고 구수한 쌈장 완성. 아이들의 최애 소스다.
어른들이 먹을 때는 고추를 다져 넣으면 좋다.

뭐든 잘 먹던 둥둥이

언제나 흐뭇한 풍경.
지금은 이 오밀조밀한 모습이 뻥하고 튀어 장성한 십대가 되었다.

5월의 끝자락에서

지렁이 한 마리가 말라죽어있었다.
나는 딸들에게 지렁이 부고 소식을 알리고,
평소처럼 걸어갔다.
지렁이의 죽음 정도 애도하기엔 삶이 분주하다.
딸들과 함께 아이스크림 7,400원어치 사고 돌아왔다.
꽃도 한 묶음 샀다.

아까 그 자리.
달라져 있었다.
지렁이는 고운 꽃 이불을 덮고 있었다.
철쭉 두 송이가 그림처럼 지렁이를 안고 있었다.
죽은 지렁이를 보고 뒤돌아선 호흡 같은 찰나의 시간.

딸은 곧장 엄마를 따라가지 않고,

작은 손으로 꽃잎 두어 장을 따서
이미 껍질만 남은 지렁이의 몸을 덮어주었던 것이다.

엄마의 허공에 떠도는 한낱 가벼운 연민에
딸은 1초의 망설임도 없이
연대와 사랑으로 미물을 아꼈던 것이다.

소명을 다하고 버려진 죽음에
격려하고 위로하였던 것이다.
이는 아이에게 매우 자연스러운 일이었던 것이다.

100분 토론에서 이수정은 인간의 성악설을,
오은영은 성선설을 주장했다.
오늘은 오은영의 성선설이 맞다.
딸들은 선하였고, 사랑을 말하였다.

"사랑이라는 낱말을 쓰지 않고 사랑을 표현한다."
_(89p) 은유, <쓰기의 말들>

딸들의 고운 나뭇잎이불, 꽃이불 덮은 지렁이, 수고 많았어.

수고로움 레시피

대충 막 하지만 이상하게 맛있는 둥둥이네 밥상

1. 무와 감자를 두껍게 썰어 팬에 깐다.
2. 고춧가루, 고추장, 생강즙, 간마늘, 국간장 혹은 액젓, 매실액을 섞어 양념장을 만든다.
3. 무와 감자 위에 갈치를 올리고, 양념장과 다시물을 자작하게 부어 끓인다.
4. 감자가 반 정도 익으면 파와 고추를 올려 다시 끓인다.
5. 감자가 익으면 완성. 깨를 뿌려 낸다.

2호 성장일지

2호가 평생에 좋은 선생님 딱 한 명을 만나기를 늘 기도해왔다. 그동안 좀 엄격하고 무서운 선생님들을 만난 편이었다. 어떤 아이는 선생님이 무서워도 금방 적응하였고, 나중에는 별로 쫄지도 안 하였다. 하지만 2호는 학교 가기 싫다는 말을 자주 했다. 아이의 세심하지만 예민하고, 느리지만 깊은 성향을 아는 나는 안타까웠지만 그래도 혼자 지내는 걸 원하지 않았다. 비폭력, 비경쟁의 재밌는 학교생활이 되기를, 단체 생활도 재밌을 수 있다는 것을 배웠으면 했다. 그런데 정말 전학 오고 한 스승님을 만났는데 우리에게는 특히, 나와 2호에게는 인생의 터닝 포인트가 될 만한 때였다. 그냥 좋은 정도가 아니었다. 선생님은 아이들에게 교사와 학생이 아닌 스승과 제자가 되길 원하였으며, 학교의 조직이나 시스템이 아니라 공동체가 되길 원한다고 늘 얘기하셨다. 50대의 인자하고 온화한 모습이지만 말과 행동에 힘이 있는 선생님을 만난 것이다.

선생님은 코로나로 인해 온라인 수업으로 전환이 되어도

1교시부터 6교시까지 화상으로 실시간 수업을 준비하여 진행하셨다. 예전 학교에서는 e학습터로 동영상만 시청하느라 11시면 6교시가 끝났다. 아이들은 종일 영상만 봐서 머리가 어지럽다고도 했다. 선생님만 탓하기도 어려운 시기였다. 갑자기 바뀐 수업방식, 온라인 시스템에 모두가 다 힘들었고, 부족한 학습에 빈자리는 학원이나 집에서 채워 넣어야 했다. 하지만 이제 '코로나 때문이야'는 핑계일 수 없음을 전학 와서, 아니 이 선생님을 만나서 알게 되었던 것이다. 선생님은 토론과 나눔으로 아이들의 모든 참여를 이끌어 냈다. 진심과 열심이 수업 내내 묻어났다. 집에 와서도 수업 후 배운 것에 대해 물어보면 같은 주제의 수업이라도 1호보다 2호가 정확히 기억했다. 아이들이 안다고 생각하는 것은 진짜 아는 것이 아닐 때가 많다.

 비록 다른 반보다 1시간씩 늦게 끝나고, 글쓰기도 많아 버거운 점도 있었지만 선생님은 아이들에게 늘 사랑한다고 응원한다고 하며, 편지글을 써서 알림장에 올렸다. 한 선생님의 열의와 교육 방식은 다른 선생님들께 영향을 미치기도 했다. 그래서인지 다른 선생님들도 못지않게 열심과 정성으로 반 아이들을 돌보셨다.

 방학이 시작되었다. 2호는 선생님과 아이들을 만나러 간다며 외출을 하였다. 선생님과 함께하는 여러 활동들이 계획되어 있단다. 30년 이상 근무하신 저 선생님의 열정은 대체 어디서 나오는 것인지 의아하였다. 우리나라 공교육에도 희망이 있구나, 가능성이 있구나, 돈 내고 배울 수 있는 사교육의 퀄리티를 공교육에서도 충분히 끌어낼 수 있구나 하며 나는 매일 감탄할 수밖에 없었다.

2호는 학교가 싫다는 말을 하지 않았다. 반 전체 프로젝트가 전국 대회에서 상을 타기도 하고, 축제를 주관하기도 하고, 아이들은 정말 재밌게 학교를 다니며 선생님과 한 배를 타고 즐겁게 여기저기 항해를 하였다. 그 모습을 지켜보며 나는 눈물이 핑 돌 정도였다.

아쉽게도 2호의 선생님은 다음 해에 다른 학교로 전근을 가셨다. 그 학교에서 또 다른 아이들을 만나 사랑하고 돌보고 배움의 열망을 최대치로 끌어내실 테니 아쉬움 보다는 고마움이 컸다. 2호는 현재 키가 훌쩍 자랐고, 낯을 가리고 내성적이었지만 단단해지고 친구들에게 인기도 많다. 글쓰기 과제를 죽어라 싫어했지만 중학교에서 글쓰기 상을 타온다. 2호를 포함한 당시 반 친구들은 스승의 날 선생님이 계신 시골 학교로 다 같이 놀러 간다. 선생님이 아닌 인생의 스승임을 아이들은 매년 고백한다. 선생님의 수고로 아이들은 그렇게 예쁜 십대로 잘 성장하고 있다. 초, 중, 고 12년 동안 딱 한 분이면 된다는 내 생각은 변함이 없다.

친구의 엄마에게

　친구의 집은 길 하나 사이 건너편 주택이었다. 문을 열고 들어가면 작은 마당에서 강아지들이 왈왈 짖어댔고, 우리는 뭐든 즐거워서 깔깔댔고, 라면을 끓여 먹고, 강아지 양치를 시키곤 했다. 난 강아지를 그때도 좋아하지 않아서 친구는 강아지 사진에 "우리 누리 좀 예뻐해 주렴"이라고 편지를 쓰기도 하였다.

　친구 집에 친구 엄마는 낮에 늘 부재중이었다. 우리집도 마찬가지였다. 나의 엄마도, 친구의 엄마도 우주 최강 워킹맘이었기 때문이다. 열심히 멀티플레이어로 사시는 엄마들 덕에 십대의 우리들은 서로의 빈 공간을 채우며 잘 자라 어른이 되었다.

　후각과 시각은 진한 볼드체가 되어 지금도 선명하다. 친구의 오빠가 만드는 볶음밥 냄새, 언니 오빠 졸업식 때 입던 하얀 패딩, 방구석 굴러다니던 언니의 예쁜 리본들. 시험공부 하며 졸던 작은 교회 골방, 종점에서 타던 87번 버

63

스의 매연 냄새, 낙엽만 굴러가도 같이 떼굴떼굴 구르며 웃던 우리에게 시끄럽다고 혼내던 버스 기사 아저씨. 불혹이 넘었지만 만나면 지금 만나도 teenager로 변하는 우리들의 유년 시절 장면에는 늘 서로가 등장했다.

늘 사랑받았지만 사랑이 고픈 막내딸 친구는 유독 이별을 많이 겪었다. 그런 친구에게 해줄 수 있는 건 정말 없었다. 그냥 평소처럼 웃겨주고 함께 신나게 수다를 나누고 옆에 있는 것뿐이었다.

삼 년 동안 폐암으로 투병하시던 친구의 엄마가 엊그제 호흡을 멈추셨다. 나는 바로 기차와 숙소를 예약했다. 친구에게 선뜻 전화하기 두려웠다. 새벽에 전화를 걸었다. 우린 아이처럼 울었다.

1998년 당시 나의 최애 배우이던 '레오나르도 디카프리오'로 잔뜩 꾸민 다이어리에는 친구가 준 엽서가 아직도 있다. 친구는 너무 힘들고 답답한데 독서실에 있을 나를 생각해서 전화하지 못하고 대신 운동장을 뛰었다고 하였다. 친구는 힘들 때 달렸다. 지금도 친구는 쇠하여진 몸으로 달릴 수 있을까. 어디까지 달리고 싶을까. 울고 싶을까. 그리울까. 잡고 싶을까. 차마 다 물어볼 수 없었다.

삼 남매를 키우고, 공부하고 일을 하고, 기도하며 사랑하는 이들을 돌보던 친구의 어머님께 감사와 사랑의 인사를 전한다. 하늘 그곳에서 편히 숨 쉬시고, 맛있는 거 드시고, 그리운 이들과 영원히 노래하소서.

"모든 눈물을 그 눈에서 닦아주시니 다시는 사망이 없고 애통하는 것이나 곡하는 것이나 아픈 것이 다시 있지 아니하리니 처음 것들이 다 지나갔음이러라" _요한계시록 21:4

보통 이주부의 자녀교육 생존기

반에서 반장은 한 명이고, 올림픽에서 금메달도 한 명이다. 강남구 서초동 통장도 한 명이고, 나라의 대통령도 한 명이다. 수능 만점자는 여러 명 나올 수 있고, 서울대 합격자도 수두룩하지만 남들보다 잘났으니 자랑의 거리가 된다. 내 나이 정도 되니 책을 많이 읽는다고, 반장이 되었다고, 경시대회 상을 받았다고, 영어를 잘한다고, 국제학교 입학했다고, 수학 루트 푼다고 이래저래 자식 자랑하는 소리가 심심치 않게 들려온다. 그게 또 멀리서 들려오는 것이 아니다. 신문에서 봤으면 이 글을 쓰지도 않았다.

가끔 쫄려온다. 나는 네 명이나 키우는데 이 중에 아무도 반장이 안 되면 어떡하지? 대학을 못가면 어떡하지? 나는 자녀교육 실패인가? 그러다 문득 질문 하나가 떠올랐다. "왜 우리는 끝없이 우리 존재를 증명하려고 하는가?"

교육열이 유별난 동네로 이사 왔다. 이곳에서 만난 대부분의 부모들은 외제차를 타고, 직업군이 의사나 약사, 교사나 세무사다. 우연히 만나게 된 같은 아파트 동 엄마는 전문직 여성의 우월감을 뽐내며, 나같이 집에서 살림하는 주부와 거리를 두며 첫 만남부터 기 싸움을 했다. 그 여자는 사람 잘못 만났다.

"그렇게 아등바등 살면 뭐해요? 결국 먹고 사는 건 똑같은데. 영어 잘하면 뭐해요? 나중에 과외 시키려고요? 좋은 학교 나오면 뭐해요? 외국 나갔다 오면요? 결국 자신이 어떤 정체성과 가치관을 가지고 살아가느냐가 큰 이슈가 아닐까요? 그리고 주부들의 부불노동은 너무 가치 폄하되어 있다고 생각해요."

하지만 그 여자도 만만치 않았다. 잠시 당황하는 듯 보였으나 물끄러미 내 얼굴을 보며 찬물을 끼얹었다.

"…… 그동안 애 넷 키우느라 얼마나 힘드셨어요."

맙소사. 나는 할 말이 없었다. 그녀는 내가 그저 애 키우기 힘들어서 이 험난한 세상을 부인하는 이상주의자로만 본 것이다. 이후 내가 무슨 말만 하려고 하면 한숨을 푹푹 내쉬고는 경멸과 동정의 눈빛을 쏘아주고는 저 문장을 반복하였다. 절대 수고했다는 말로 들리지 않았다.

그 아줌마와 헤어지고도 분이 삭지 않았다. 이후 같은 아파트에서 마주쳐도 말을 섞지 않고 가벼운 목례만 하였다. 나는 속상한 마음이 들면 '김보통' 작가의 책을 읽는다. 글쓰기 강의 때도 사례로 소개하려고 다시 꺼내 들었다. 여전히 배꼽을 잡는다. 배꼽을 잡으면서 코끝이 시큰해진다. 김보통 글의 특징이다.

수업시간에 오줌 싸고, 교실에서 잠만 자고 평행봉을 하던 해초같이 존재감 없던 학생은 커서 이야기꾼이 되었다. 어른이 된다는 서글픈 현실을 받아들이며 자기 존재를 1등이나 잘남으로 증명하지 않았다. 작가는 책에서 누군가를 이기는 것으로 삶의 중요한 것을 놓치지 않겠다고 하였다. 김보통 작가는 살아간다는 것의 슬픔과 기쁨을 모두 알고 있었고, 그것을 자기만의 이야기로 조심스럽게, 아주 잘 풀어내고 있었다.

굳이 증명하지 않아도 된다. 존재 자체로 빛나는 것을, 어찌 막을 수 있겠느냔 말이다. 어둠이 이길까, 영어가 이길까, 수학이 이길까, 대학이 이길까. 학위가 이길까. 아 너희들은 스스로 빛을 내어 달콤한 스카치 캔디와 쌉싸름한 계피 사탕 모두를 맛있게 노나 먹기를. 하지만 여전히 분이 나고 속상하고 불안하다.

"*어른이 되면, 달콤한 스카치캔디보다 쌉싸름한 계피 사탕을 좋아하게 되는 걸까. 그렇게 생각하니 어른이 되는 것은 가여운 일이었다. 언제까지고 이 부드러운 달콤함을 즐기며 살 수 있다면 좋을 텐데. 참고로 나는 스카치 캔디 중 바나나 맛을 좋아한다. 버터 맛이 가장 별로다. (65p)*"
_<어른이 된다는 서글픈 일> 중에서, 김보통.

외할머니 밥상

나에게는 외할머니가 없다. 아니, 정확히 말하면 외할머니
는 내가 여섯 살 때 돌아가셨다. 정말 외할머니에 대한 기
억이 거의 없다. 9남매의 막내로 태어난 엄마의 엄마는 평
균 엄마들보다 나이가 많을 수밖에. 쪽진 머리와 비녀, 옥
색 고운 한복을 입고 우리 재롱에 맞장구 쳐주던 외할머니
가 유일한 기억이다.

"아이고, 우리 똥강아지 왔어." "아이고 힘이 천하장사
네." 하며 마냥 귀여워해 주시던 드라마 같은 씬. 치아바타
빵 한 귀퉁이 조각 같이 하얗게 떨어지는 부스러기 기억뿐
이지만 참 귀하고 따스한 추억이다.

그런 내가 요즘 가끔 듣는 말은 "당신은 외할머니 같다."
라는 것이다. 손님이 집에 자주 오는 편이라 음식 대접 할
기회가 많다. 솜씨가 있다거나 특별한 맛을 내는 것은 모

르겠고, 그저 많이 자주 내기 때문에 들리는 말 같다. 아이러니하게 나는 외할머니 밥을 먹어본 적도 없다. '외할머니 같다'는 여전히 내게 생경하기만 하다.

"집사님 또 주세요? 이제 배불러서 못 먹겠어요."

"큰엄마 식탁은 미국 같아요."

"왜 이렇게 많이 차리셨어요?"

아, 그제야 내 손이 크구나 생각했다. 사람들이 하는 말들을 유추하니 외할머니 밥상이 가늠이 되었다. 무엇이든 더이상 못 먹을 때까지 이거 저거 주고 싶은 마음이 외할머니 마음이구나 했다. 친할머니들에게는 미안하지만, 그런 이미지는 외할머니들이 확률적으로 상당 부분 차지하고 있었다.

우리 아이들에게는 친할머니도, 외할머니도 있다. 바깥 外(외) 자를 쓰는 것이 영 마음에 걸린 나는 아이들에게 할머니 이름을 부르게 했다. 그래서 아이들은 이름을 붙여 할머니들을 부른다. 공식 외할머니인 우리 엄마는 실제 당신의 친정엄마의 밥상이나 산후조리를 받아본 적이 없었을 텐데도 본능적으로 더 이상 못 먹을 때까지의 밥상을 늘 준비한다.

"일어나 밥 먹어라."

친정에서 자면 아침에 듣는 말이다. 옛날엔 귀찮기만 했던 저 말이 사무치게 반갑고 고마울 줄이야. 엄마는 아침부터 갈비를 굽고, 도토리묵을 무치고, 딸이 좋아하는 도라지를 먹음직하게 색을 내어 식탁에 올린다. 손주들을 위해서는 따로 멸치를 볶고, 오징어채를 볶고, 장조림을 한 솥 준비하였다. 전날부터 떡을 빚을 준비를 하고, 밤을 삶는다. 아이들은 아침에 쌀을 먹는 횡재를 누린다. 시리얼과 빵만 좋아하는 줄 알았는데 밥도 좋아하는구나, 라고 나는 생각했다.

엄마가 일찍 돌아가신 울 엄마, 엄마 얼굴을 모르는 울 어머니. 이 두 어머니의 밥을 먹고 자란 나와 남편은 깨닫는다. 꼭 받아봐야만 사랑인가. 퍼주면서 풍성히 채워지는 그 마음이 사랑이라는 것을.

수고로움 레시피

대충 막 하지만 이상하게 맛있는 둥둥이네 밥상

친정에 가면

임영웅씨 컵이 돋보이는 친정 엄마표 밥상.
내 평생 효도를 할 수 있다면 그 히어로님의 콘서트 티켓을 구하는 것.
아무래도 이번 생은 성공하지 못할 것 같다.

김장김치와 수육

엄마가 보내주신 김장김치로 수육 한상차림

쌍쌍바 드실래요?

여름이다. 액상과당은 싫지만 사백 원 아이스크림은 포기할 수 없다. 열한 개에 사천 원이고, 이틀이면 다 먹기 때문에 스물두 개를 산다. 중간에 나도 먹고 남편도 먹는다. 여하튼 팔천 원으로 달콤한 디저트를 즐길 수 있는 소확행[2]의 계절이다. 아이들의 체중 관리를 위해 월, 수, 금만 허락했지만, 사춘기가 온 아들들은 일주일에 한 번만 먹겠다고 한다.

그날도 운동하고 오는 길에 아이스크림 가게에 들러 검은 봉지를 가득 채웠다. 쌍쌍바, 돼지바, 폴라포, 바밤바, 메로나, 수박바, 보석바를 고루 담았다. 모두 내가 어릴 때 먹던 아이스크림들이다. 그중 나는 얼음이 사각사각 씹히는 포도맛 폴라포를 좋아하고, 아이들은 마치 두 개를 먹는 착각이 들게 하는 쌍쌍바를 제일 좋아한다.

가로등 불빛도 풀벌레 소리도 희미해지는 늦은 시간이 되었다. 아파트 주차장으로 들어서니 1톤 트럭 비상등이 번쩍번쩍하였다. 쿠팡이었다. 배달 기사님이 트럭에 매달려

---

2) 소확행: 작지만 확실한 행복 (출처: 네이버 국어 오픈사전)

짐을 꺼내고 계셨다. 로켓 같은 배달을 위해 그는 바지런한 몸을 쉴 새 없이 움직였다. 나는 공동현관으로 향하다 다시 뒤돌아섰다.

"기사님 아이스크림 드실래요?"

9월이었고 밤공기는 서늘했다. 거절하실 거라 생각했다.

"정말요? 그럼 저 하나만."

"쌍쌍바 좋아하세요? 이걸로 드세요."

"아이고, 감사합니다."

기사님께 아이스크림 드시겠냐고 물어보기까지의 5초 정도 되는 시간 동안 난 사실 많은 고민을 했다.

'나이가 있으시니 얼음이 있는 폴라포는 패스. 역시 얼음이 많이 씹히는 보석바도 패스. 쿠키 부스러기가 후드득 떨어지는 돼지바는 부담일 수도 있고, 땀을 많이 흘리시니까 당 충전을 위해 초콜릿 맛의 쌍쌍바가 좋지 않을까?'

이런 고민을 왜 하는 건지 모르겠지만 다행히도 아저씨는 쌍쌍바 하나로 환히 웃으셨다. 나는 쿨하게 뒤돌아서 집으로 돌아왔다. 아이스크림 하나 나누는 걸로 생색내고 싶지도 않았고, 이웃끼리 나눠먹는 자연스러운 일상이 우리에게 아무렇지도 않게 일어난다는 걸 알리고 싶은 이유였다. (아이스크림 하나로 이거 참.)

"와 아이스크림이다!"

하이에나처럼 일제히 아이들이 나에게 달려왔다. 검은 비닐봉지가 처참히 뜯겨 나갔다. 나는 BBC 다큐멘터리에서 사냥당한 '톰슨가젤'처럼 휘청거렸다. 발 빠른 아이들은 '쌍쌍바'를 선점히였다. 하나가 부족하여 미처 고르지 못한 아이는 울상을 짓다가 메로나를 선택한다. 쌍쌍바는 다른 아이스크림과 부피와 무게가 비슷할 텐데도 아이들은 쌍쌍 바를 제일 먼저 선택한다. 두 개 먹는 기분을 느끼도록 수를 쓴 쌍쌍바의 전력이 참으로 탁월하다.

나는 의자에 턱을 괴고 앉아 아이들을 흐뭇하게 지켜보았다. 아이스크림을 먹지 않으니 딸이 다가온다. 평소에도 엄마의 기분과 안녕을 살피는 사려 깊은 막내다.

"엄마 이거 줄까요?"

딸은 쌍쌍바를 홍해처럼 갈라 나에게 준다. 이런 감동이! 쭈쭈바의 머리꼭지를 떼어주는 것보다 큰 사랑의 징표다. 게다가 '기역자'로 잘리지도 않았다. 쌍쌍바의 '네 것을 나눌 수 있느냐'의 바이블급 시험에 어려움 없이 통과한 딸은 해맑게 웃는다. 쌍쌍바 하나 주는 것보다 붙어 있는 막대를 둘로 쪼개 나누는 일이 더 어렵다는 걸 안다. 그 말인 즉, 쌍쌍바 하나를 택배 기사님께 드리는 어른보다 하나를 둘로 나누는 아이가 낫다는 말이다. 아이를 보고 배우면 천국에 들어갈 수 있다는 예수의 말씀이 옳다는 걸 깨닫는 여름밤이다.

며칠 전에는 전학 와서 친구 관계로 힘들어했던 딸이 어떤 결론에 이르렀는지, 나에게 유레카를 외치듯 다가와 말했다.

"엄마, 친구를 사귀려면 어떻게 해야 하는지 알아? 두 가지가 필요해. 바로 헤아림과 공감이야."

헤아림과 공감이라. 아이의 철학과 선택에 따른 행동, 그것에 따른 조화로운 일상이 참으로 아름다워 눈물이 나고야 말았다. 쌍쌍바 하나를 기꺼이 쪼개 나눌 수 있는 아이가 사랑스러워 꼭 안아주었다. 쌍쌍바는 참으로 달콤했다.

수고로움 레시피

대충 막 하지만 이상하게 맛있는 둥둥이네 밥상

메밀국수로 만든 바지락파스타

1.
한살림 메밀국수 면을 삶는다. 너무 오래 삶는 것보다 약간 꾸덕하게
삶기 위해 짧고 빠르게.
2. 얼음물이나 찬물에 삶은 면을 헹궈준다.
3. 올리브오일에 마늘 한 스푼과 페퍼론치노 2개를
넣어 향을 내어준다.
4. 해동한 바지락을 넣어 익혀준다.
5. 삶은 국수를 넣어 버무리고 소금과 후추를 뿌려준다. 접시에 담고
강판에 간 치즈와 깻잎 토핑 추가하여 맛있게 먹는다.

수고하는 나의 붉은 심장에게

　리듬이 예사롭지 않다. '스트리트 우먼 파이터' 댄서들 못지않게 활기찬 리듬에 열정적으로 춤을 춘다. 도무지 내 몸의 일부 같지 않다. 초음파 실에 누워 심장의 판막(瓣膜)이 열고 닫히는 걸 본다. 판막들이 손바닥을 마주친다. 다시 손바닥을 뗀다. 빠른 속도로 쉼 없이 문을 열고 닫는다. 인간의 직립보행 때문에 심장 아래쪽 혈관에 있던 혈액은 놀랍게도 중력을 이기고 반대방향에 있는 심장을 향해 흐른다. 심장이 뛰면 문이 열려 피가 나가고 심장이 쉬면 문이 닫혀 거꾸로 피가 들어오지 않게 한다. 한 방향으로만 흐른다. 붉은 강줄기 같은 혈액들은 살아 움직여 심장을 향한 욕구를 가진다. 창조주는 명령하였다.

　"심장을 향해 가라. 내가 다시 명령할 때까지 쉬지 말라. 그것이 네가 정말 하고 싶은 일이다."

　몇 년 전이었다. 처음으로 호흡곤란이 있던 것은. 걷다가 잠시 멈추어 가슴을 움켜쥐고 주저앉아 버렸다. 그 후로

심리적 스트레스나, 해야 할 일이 많을 때 비슷한 증상이 나타났다. 그냥 그러려니 했다. 공황장애의 일종이겠지. 요즘 공황장애 없는 사람이 어디 있을까. 병원에 갈 생각은 하지 않았다. 내가 나를 잘 알고 있으며, 컨트롤 할 수 있다는 오만함 때문이었다. 통증이나 증상은 간혹 나타났다. 운동을 하지 않았는데 느닷없이 빠르게 뛰거나 갑자기 숨이 가빠지기도 하였다.

혈중 산소와 심전도 체크가 가능한 '사과 시계'가 참 유용했다. 큰 문제는 없는 것 같았다. 병원은 가기 싫었다. 오늘은 병원 갈 거야, 라고 늘 뻥치는 아내에 대해 늘 불신하는 남편은 매일 문자를 보내왔다.

"오늘은 병원 가."

"병원 다녀왔어?"

"오늘은 꼭 갈 거지?"

집요하다.

집요함이 사랑이라고 생각하고 살기로 했다. 동네에서 유명하다는 심장내과를 찾아 방문했다. 나이 지긋한 아저씨, 아주머니들이 코로나 거리두기가 무색하도록 대기실 소파에 옹기종기 앉아 있었다. 어쩌면 나 죽을지도 몰라-하는 표정으로 TV도, 핸드폰도 보지 않고 허공만 바라보았다. 심장은 죽음과 직결되고, 신체에서 가까이 느낄 수 있으니 그럴만했다. 3시간을 기다렸다. 심전도, 초음파 검사를 하고 마침내 의사의 용안을 마주하게 되었다. 황송하였다.

하지만 이 글이 이렇게 길어지는 건 이유가 있지 않을까? 그동안 만난 또라이 의사 탑5 리스트를 막 완성한 순간이었다. 방언을 하는 한의사, 여혐 대학병원 의사, 돈 밝

히는 어린이 치과 의사, 횡설수설 쓸데없는 얘기하는 치과 교정 의사. 그리고 오늘의 주인공. 오만 방자하여 알코올중독자 같은 심장 내과 의사. 다시 한 번 명징하게 깨닫게 되었다. '슬기로운 의사생활'은 픽션이며 드라마다.

수십만 개의 심장을 봐왔을 의사는 내 심장이 아주 건강하다고 했다. 부정맥이 간혹 보이지만 걱정할 정도는 아니라며 의자에 털썩 주저앉아 입을 열기 시작했다. 심리적 스트레스와 공황 증상을 이길 방법을 말이다. 안내와 조언, 친절한 설명보다는 개똥철학 그 자체였다.

"화병입니다."

"화병이요? 알고 있어요."

"어떻게 고치는지 알아요?"

"글쎄요. 저도 나름 노력합니다만."

"하하. 그 노력 자체가 문제예요. 자기가 스스로 컨트롤할 수 있다는 그 문제. 억압하는 것이죠. 원수를 사랑할 수 없는데 사랑하는. 그냥 아무것도 하지 마세요. 네? 무슨 말인지 알겠어요? 돈을 원해서, 성공을 원해서가 문제예요. 그냥 아무 생각도 하지 말고, 아무 것도 하지 마세요. 네?"

의사는 들으려고 하기보다 자기의 말을 대체 네가 알아먹기나 하겠냐는 안하무인 태도로 연설을 늘어놓았다. 나 역시 지루했다. 의사의 눈을 피하지 않고 노려보았다.

"……"

"그냥 아무 것도 하지 마세요. 원하면 기분 좋아지는 약을 줄 수 있어요. 예를 들면 로또 10억 당첨되어 기분 좋은 상태의 느낌을 드릴 수 있다는 것이죠. 설거지를 해도, 빨래가 많아도, 애를 보느라 힘들어도 전혀 힘든 기분을 못 느끼죠. 그냥 계속 기분이 좋은 거죠."

"로또요? 실제 당첨되지 않았는데 당첨된 것처럼 느끼는 그것으로 모든 상황을 덮는 건 너무 허무한데요."

그는 입꼬리를 올리며, 다리를 꼬아가며, 스타벅스 커피를 홀짝거렸다. 진작 마스크 따위는 벗어던진 그였다. 게다가 그의 발음은 잔뜩 꼬여 알아듣기 힘들었다. 낮술을 마신 건 아닌지 의심이 되었다. 밖에 환자가 스무 명은 더 남았는데 계속 나에게 개똥철학을 논할 태도였다. 아니 논하기보다는 중언부언 지루한 주정이었다. 소름 끼치도록 싫었지만 내심 좋기도 했다. 그보다는 내가 더 사악할 지도 모르겠다. '앗싸, 글감 나왔다.'

아무리 글감이라도 밖에서 죽을까봐 걱정하며 기다리는 환자들을 생각하여 그의 말을 중단시켰다.

"저기요, 원장님. 그만하시죠. 저 가서 애도 봐야 하는데 가보겠습니다. 증상이 심해지면 다시 오죠."

무뇌(無腦), 아메바 상태로 살라는 의사의 눈물 나게 고마운 조언을 등지고 진료실 밖으로 나왔다. 굉장히 불쾌했지만 이상하게 심장은 고요했다. 내 심장은 중요하지 않은 일에는 반응하지 않는다는 것을 새삼 알게 되었다.

주차장에서 남편에게 전화를 했다. 당신 때문에 또라이 의사를 만났다고 하소연했다. 남편은 그저 아내의 심장이 건강하다는 소식이 기쁜지 웃기만 하였다. 나도 허탈하게 웃음이 나왔다.

"이 새 천년의 초입에 많은 여성들의 마음속에 깔린 가장

주된 욕구는 아마 욕구에 대한 욕구일 것이다. 자신의 진짜 욕구가 무엇인지 있는 그대로 밝힐 수 있을 만큼 충분히 안전하고 안정되었다고 느끼고 싶고, 그 욕구를 만족시킬 충분한 자격과 힘을 갖추었다고 느끼고 싶은 갈망 말이다."

_캐릴라인 냅, <욕구들, 여성은 왜 원하는가> 중에서.

정신건강의학과가 아닌 심장내과 의사는 여성들의 욕구에 대한 욕구를 이해하지 못하고 있는 듯하다. 아마 나의 욕구가 사라지는 날 붉게 물든 심장의 욕구도 사라질 것이다. 아직도 가끔 심장이 미친 듯이 뛰지만 전처럼 걱정할 정도는 아니다. 그저 욕구에 대한 욕구가 무엇인지, 이룰 수 있고 나아갈 수 있을지, 아니면 잠시 쉬어갈지 고민하는 걸로 심호흡하며 심신의 안정을 취한다. 심장초음파로 나의 심장을 잘 보았다. 심장은 또 다른 자아 같다. 심장에게 말해주고 싶다. 수고 많았고, 고맙고, 또 많은 수고를 부탁한다. 평생 20억 번 이상 뛰는 나의 수고하는 심장에게.

수고로움 레시피

대충 막 하지만 이상하게 맛있는 둥둥이네 밥상

프랑스 가정식인 것 같은데, 이탈리아 음식이라고도 하고. 구운 바케트빵 위에 올리브, 치즈, 야채 등을 올려 먹는 음식. 비주얼이 좋아 손님 초대 후 애피타이저로도 좋다. 은근히 아이들이 더 잘 먹는 레시피다.

*준비: 바게트빵, 레몬1, 양파 1, 작은 토마토 4, 바질잎 10장, 소금 1t, 간 마늘 1t, 한살림 농축 사과식초 (혹은 발사믹 식초), 올리브 오일, 통후추

1. 바게트 빵은 버터에 구운다.
2. 토마토와 양파는 촵촵 다져준다.
3. 바질 잎을 다져 토마토와 양파를 섞는다.
4. 2와 3에 소금, 후추, 마늘, 레몬, 사과식초로 버무린다.
5. (개인적으로 신 맛을 좋아해서 레몬 1개를 다 넣었다. 레몬 1/2개도 괜찮은데 국물이 많아지면 샐러드 드레싱으로 활용하면 된다.)
6. 마지막으로 통후추를 갈아 뿌리고, 올리브오일을 흩뿌린다.
7. 구운 바게트 빵 위에 양껏 얹어 먹고 한껏 행복해한다.

참기름, 들기름이 없던 날

_사춘기 코앞을 둔 열두 살 아들 도시락 '쿨.하.게.' 싸기

학교에서 당분간 급식이 중지된다는 알림이 왔다. 급식실 근로자의 파업으로 도시락을 싸야했다. 아이들이 묻는다. 파업이 무엇이냐고? 정당한 노동의 대가와 소시민의 행복 추구권을 위해 목소리를 내는 것이라고 답해주었다. 아이들의 표정은 아리송하다. 파업의 본래 취지와 의도가 사라질 때도 있지만, 끝없이 목소리를 내야 알아먹는 거대한 조직과 시스템이 있기에 파업은 불가피하다고 설명하려다가 말았다. 여하튼 파업은 필요한 시점이라고 말하였다. 얄팍하고 순수하지 못한 나는 근로자들을 위로하기보다 당장 내 살 궁리부터 하게 되었다.

코로나로 모든 현장체험학습이 중단되고, 소풍 도시락 쌀 기회가 최근 없었기 때문에 도시락 준비가 급작스럽게 느껴졌다. 메뉴부터 고민하였다.

'불고기, 너겟, 오징어채, 콩자반, 볶음김치? 이렇게 싸주면 될까? 과일은 어떻게 넣어주지? 불고기 양념된 걸 사? 그냥 소고기를 살까? 호주산을 살까, 한우를 살까? 진미채

82

는 반찬가게에서 사자. 그런데 김치가 집에 없네. 뺄까? 그럼 뭔가 허전하지 않을까?'

 엄마의 심각한 표정에 비해 아들들 표정은 심드렁하였다. 그리고 잠시 망설이다가 머릿속이 복잡한 엄마에게 정중하게 부탁의 말씀을 올리었다.

"엄마, 근데 너무 화려하게 싸지는 말아주세요."

"아, 아 그래?"

 머쓱한 나는 메모장에 손가락을 올리고 오른쪽에서 왼쪽으로 커서를 쇼핑 리스트를 지웠다.

"아, 그럼 뭐가 좋아?"

"그냥 김밥도 괜찮아."

 녀석, 김밥은 간단한 줄 아나. 그래도 김밥을 싸주기로 한다. 너무 화려하지 않으면서, 간단하게 먹을 수 있는 그런 김밥. 정성어린 화려한 도시락은 오히려 친구들에게 놀림이 될 수 있다는 걸 혼돈의 도시락 메뉴 고민 중에 깨달았다. 과분한 애정과 관심을 받는 마마보이보다 쿨한 남자아이로 보여 지고 싶어서일까. 열두 살 아들의 모습이 낯설었다.

 초등학교 5학년이면 본격적으로 성교육을 받는 나이다. 호르몬의 급격한 증가로 신체 곳곳에 어중간한 어른의 표징이 나타나는 시간이기도 하다. 스스로 목소리가 어색해서 "아-아-"하고 사오정소리를 내는. 인기 드라마 '오징어 게임'을 볼 수 없어도 드라마의 줄거리, 주요 주제, 이슈, 유행에 대해 모두 다 아는 나이. (스스로 보고 싶어도 볼 수 없다는 것을 아는, 그리고 그 이유가 무엇인지도 아는.) 여하튼 모르는 거 빼고 다 아는 세계에 사는, <새의

선물> 주인공 진희처럼 '더 이상 스스로를 아이라고 생각하지 않는 아이'인 것이다.

아, 내가 너무 유치원 때 아들들을 생각했나보다. "엄마 밥이 맛있어요–"라고 콧노래를 부르던 다섯 살 아들이 그리웠나 보다. 본격 고민이 시작되었다. 너무 어려웠다. 어떻게 화려하지 않으면서 꾸안꾸[3] 도시락이 될 수 있을까.

새벽 5시. 고민과 긴장감이라고는 볼 수 없이 좀비처럼 일어나 도시락을 준비하였다. 하지만 일어나자마자 메뉴를 복기하며 깨달았다. 현재 우리 집에는 참기름과 들기름이 없다는 사실을 말이다. 지난 추석에 친정 엄마에게 얻어온 700ml 들기름과 500ml 참기름은 벌써 두 달 만에 바닥이 나고야 말았던 것이다.

참기름 없이 소금으로만 간을 한 밥, 참기름 없이 소금과 파로만 무친 시금치. 그렇게 김밥을 말기 시작했다. 대신 불고기를 넣었다. 밥에 올리브유를 살짝 섞었다. 뭐, 생각보다 나쁘지 않았다. 고소함 대신 올리브 향의 지중해 김밥이 탄생하였다. 귤을 가로로 가르고 방울토마토를 살포시 곁들여 도시락을 마련했다.

학교에서 돌아온 아들들에게 도시락이 어땠냐고 물었다. 어떤 감정이나 흥분된 표현을 섞지 않고 무미하고 건조하고 맛있었으며 배불렀다고 답하였다. 나도 최대한 도시락 따위는 관심 없다는 듯이 물었다.

"그래? 다른 애들은 뭐 싸왔어?"

"음, 뭐 치킨을 통째로 들고 온 애도 있고, 샌드위치나 삼

---

3) 꾸안꾸: 꾸민 듯 안 꾸민 듯의 줄임말 (출처: 네이버 국어 사전)

각 김밥만 가져온 애도 있었어."

　사실 충격이었다.

"아, 그래? 선생님들은?"

"그냥 김밥 한 줄 드시던데."

"아 배고팠겠다. 너 나눠먹지."

"코로나로 그렇게 할 수 없었어."

"아 맞다, 그랬겠다. 그래도 맛있었지?"

"응. 배불렀어."

"......"

　저녁이 되어 콩나물밥을 하려고 하니 또 참기름 생각이 났다.

'간장양념장에는 무조건 참기름인데…' 하지만 나도 쿨-한 엄마가 되기로 하였기 때문에 또 올리브기름을 쓰기로 하였다. 참기름, 들기름 모두 갖추지 않아도 한 끼 식사는 무탈하게 끝이 났다.

오늘부터 출근합니다

_12년 만의 출근으로 갓생살기

이 이야기를 어디서부터 어떻게 해야 할지 모르겠다. 일. 일은 많이 했다. 노동. 노동도 가없이 했다. 직장. 그래, 직장이 오랫동안 없었다. 쌍둥이 두 번 임신으로 직장은 꿈도 못 꿨다. 대신 집에서 할 수 있는 공부방 교사, 학교 방과후 돌보미 교사 면접을 보고는 했다. 그때마다 듣던 똑같은 질문.

"그렇게 아이가 많은데 일을 할 수 있으시겠어요?"

그래서 독서지도사 자격증을 따고도 한참 후에야 아이들을 가르칠 수 있었다. 경계가 없는 집과 일터. 내 아이를 돌보고 아니 놔두고 남의 아이를 가르치는 눈물겨운 일이 시작되었다.

생각해보면 가만있던 적은 없었다. 그야말로 이번 생은 갓생4)이었다. 글쓰기를 배우고 출간도 했다. 독서모임을

---

4) 갓생: 신을 의미하는 'God'과 인생을 뜻하는 '생'의 합성어로 부

만들고 5년 동안 이끌었다. 다소 실험적이었다. 모임의 성격과 원칙을 세웠다. 물론 자발적이며 순수한 성격의 책읽기 모임이었다. 개인적으로 큰 유익이었다. 하지만 점점 한계가 느껴졌다. 애석하게도 내년부터 안식년에 들어가기로 공지하였고, 마무리 모임을 준비 중이었다. 초기 멤버였던 분들은 이제 셋째 주 화요일에 무엇을 해야 하냐고 물으셨다. 허전하고 쓸쓸하나 진심으로 내 일처럼 기뻐해주신 언니들이지만 나도 허전한 건 마찬가지였다. 화요일을 계속 비워두겠다고 우정 어린 말을 주고받았다. 하신다. 나는 화요일마다 〈화요문장〉을 써가며 화요일을 기억하기로 했다.

최근 들어 무기력한 날이 잦아졌다. 목표와 방향을 잃으니 무엇도 집중하기 어려웠다. 구원 같던 읽기와 쓰기도 내려놓고 쉬고 싶었다. 경제적이고 생산적인 활동을 해야만 하는 궁지에 몰리기도 했다. 책상이 생겼지만 책상에 앉아있으면 눈치가 여간 보이는 것이 아니었다. 작가랍시고 책도 내고 가끔 강의도 하지만 적자였다. 꾸준한 글쓰기로 들어오는 광고비도 있었지만 나중에 조회 수가 기대만큼 나지 않자 계약 종결이 되었다. 돈은 해무와도 같고 자본주의는 강력하다. 글쓰기의 치열한 굶주림과 피로를 참는 끝에 얻는 그 영광에 참여하지 못할 수도 있다는 사실이 서글퍼졌다.

경력단절 여성의 흔한 고민이 시작되었다. 전공과 경력과

지런하고 타의 모범이 되는 삶을 뜻하는 신조어. (출처: 네이버 국어 사전)

관련한 일을 다시 할 수 있을까? 구인사이트 어느 곳에서도 탄력근무제를 실행한다는 조건을 보지 못했다. 그나마 2교대 근무가 육아와 병행하기에 수월해 보였다. 대학병원 사례관리자로 지원하였고 이력서와 자기소개서 업데이트를 하며 겸손한 문장 안에 내가 얼마나 잘났는지 교묘하게 섞어 버무렸다. 자녀 수와 육아 등 실제 내 삶의 대부분이었던 사연은 부러 넣지 않았다. 하지만 신은 스펙터클한 장면을 좋아한다. 면접에 나온 정신건강의학과 교수는 나를 알고 있는 아들 친구 아빠였던 것이다. 그분은 나와 정말 함께 일하고 싶은데 딱 한 가지 걱정이 된다며 몇 번을 되물었다.

"네 아이 모두 키우며 일을 하는 것이 가능할까요?"

질문에 대한 답이라기보다 나의 평상시 고민과 생각을 주고받았다. 탄력근무제와 병원 측 복지와 배려와 수당이 없으면 앞으로 이곳 사회복지사들의 이직률은 반복될 것이며, 계약직에서 정규직 전환이 시급하고, 예측 불가한 변수는 개인적으로 해결할 것이며, 직장에 뼈를 묻을 거라는 허무맹랑한 이야기보다는 있는 동안 몰입하여 즐겁게 일할 수 있는 사람이 나라고 말이다. 면접을 빙자한 토론이 끝나자마자 면접관인 친구 아빠는 "합격입니다."라며 웃었다. 그 말을 듣는 순간 떠오른 엉뚱한 문장은 이것이었다.

'아, 나도 이제 누가 만든 점심을 먹을 수 있다!'

배우 문소리씨 어머니 '이향란'씨는 시니어 모델로 데뷔하면서 이런 말을 했단다.

"저는 평생 밥만 했어요."

평생 밥만 하는 노동에서 밥을 사는 노동으로 전환한 그녀의 즐거움이 나에게까지 전해졌다. 이 즐거움을 숨기고 며칠 동안 아이들과 진중하게 이야기를 나눴다. 딸들은 울먹이며 엄마의 취업을 반대했다.

"집에 오면 환하게 반겨주는 엄마가 없잖아. 엄마 일하지 마요. 그리고 일하는 엄마들은 까칠하고 거칠단 말이야."

마음이 아팠다. 엄마의 부재로 인한 다양한 종류의 염려와 두려움이 충분히 공감되었다. 하지만 나에게는 네 아이가 있지 않은가. 아이들은 서로의 빈 공간에 서로를 채울 수 있을 것이었다. 그리고 나는 까칠하지 않을 것이며, 아주 유쾌하게 집으로 돌아올 것이기 때문이 크게 걱정하지 않았다. 12년만의 출근을 우선 만끽하기로 하였다. 이후 절절하고 고되고 가없는 노동의 이야기들은 다른 글에서 만날 수 있다. 한 가지 분명한 건 까칠하지 않을 것이란 약속을 못 지켰다는 것이며 집밥 보다 배달 음식을 많이 먹었다는 것이다. 그래도 아이들은 날마다 자랐고, 사랑스러워져 갔다.

수고로움 레시피

대충 막 하지만 이상하게 맛있는 둥둥이네 밥상

홈메이드 치킨과 잔치국수

아이들이 제일 좋아하는 메뉴다. 닭을 부위별로 사서 우유에 재운 후 소금, 후추, 치킨파우더를 골고루 묻혀 기름에 두 번 튀긴다. 튀기는 동안 없어져서 정작 나중에는 먹을 게 없다. 가끔 우엉도 곁들어 튀긴 다.

잔치국수는 멸치다시 국물에 국간장, 액젓으로 간을 하고 삶은 소면과 볶은 야채, 김가루를 넣어 낸다. 국수 또한 후루룩 1분 만에 없어지는 인기 메뉴. 다시 출근하고 일을 시작하면서 배달어플, 반찬가게가 단골 이 되었다. 집밥은 역시 쉽지 않다.

놀이로 보는 세상

종일 집에 있는 날이면 아이들은 놀이를 창조한다. 인원이 많으니 놀이도 다양하다. 요즘에는 부동산놀이, 노예놀이, 교도소 놀이를 한다. 이름만 들으면 무시무시하지만 들여다보면 꽤 재밌다.

부동산 놀이는 각자 원하는 공간의 주인이 되어 통행료를 받는 놀이다. 화장실과 방, 거실을 사서 세를 받는다. 화장실이 가고 싶으면 그 주인에게 직접 만든 종이돈으로 통행료를 지불한다. 어떤 녀석은 돈을 안 쓰려고 자기 공간에서 한 발자국도 안 나오는데 그렇게 되면 경제가 돌아가지 않는다. 화장실도 안 가고, 물도 안 마시러 간다. 돈이 돌아야 하는데 돈의 흐름이 막히면서 공동체는 와해되기 직전까지 간다. 나는 유일하게 자유로이 방과 방을 거니는 존재가 되어 은근 기분이 좋다. 부동산 놀이는 가끔 출입국 관리소 놀이로 확장된다. 집에서 아이들은 해외여행을 다닌다.

노예놀이는 주인이 시키는 대로 하는 놀이다. 주인은 침대에 누워서 노예들에게 일을 시킨다. 노예들은 땀 흘리며 열심히 경작하고, 청소를 하고, 살림을 한다. 옆에서 지켜보면 흥미로운 점을 발견한다. 주인은 여간 심심해하는 게 아니다. 오히려 노예들이 즐거워 보인다. 달무티 게임에서 적용하여 만든 노예놀이는 노예들을 위한 놀이가 된다. 결국 아이들은 그닥 주인을 하고 싶어 하지 않는다. 아무래도 함께 하는 노예 공동체가 외로운 지주보다 행복하다는 결말이 생긴 것만 같다.

교도소 놀이는 수감자들이 베란다에서 지내고 교도관이 감시하는 놀이다. 이것도 노예놀이와 마찬가지로 한 명의 교도관은 심심하고, 세 명의 수감자들이 즐거운 게 킬포다. 게다가 베란다 감옥에서 교도관이 가져다주는 과자나 음료를 마시며 시시덕거리니 교도관을 맡은 아이는 거의 아이돌보미 수준으로 분주하고 힘에 겹다. 교도관이 수감자에게 크래커를 가져다주었다.

"아저씨! 저 채식주의자예요."

그러고는 야채크래커를 요구한다. 교도관은 한숨을 한 번 쉬고 쉴 틈 없이 야채크래커로 변경해 준다. 수감자들은 또 요구한다.

"아저씨 야외활동 언제해요?" 동생 수감자들은 오빠 교도관의 돌봄을 받는 게 즐거운지 해방과 자유로 점철된 행복한 탈옥자의 얼굴을 하며 당당하게 자유 시간을 요구한다.

아이들이 만들어가는 놀이 세상이 부럽다. 부동산, 노예, 교도소라는 공간에 약간의 계급 차이가 있지만 불평등과 박탈감, 혐오와 차별이 없다는 것이 말이다. 투게더 아이스크림 한 통을 놓고 순가락 전쟁을 하지만 공평하고 공정한 기회와 권리가 주어지기 때문에 불만이 없다. 놀이를 충분히 끝낸 아이들은 충만한 마음으로 하루를 마감한다.

"이 세상의 물자와 권리를 새롭고 공정하게 배분하는 것이 인간사를 다스리는 사람의 주된 목표가 되어야 한다."

_토크빌(Tocquevillle)

무탈한 하루

오후 10시에 퇴근해서 나오면 응급실 불빛 말고는 사방이 어둑하다. 쓸쓸한 퇴근길이 곧 벚꽃으로 물들 상상을 하며 서둘러 차를 탔다. 모든 것이 평범한 그런 날이었다. 애들 장염도 다 나았고 당분간 지루할 정도로 무탈한 날이 반복될 것이었다. 이런 생각은 늘 위험하다. 괜찮다고 생각하면 괜찮지 않은 일이 벌어지곤 한다.

유난히 깜깜한 도로였다. 퇴근해서 30분 정도 지나 집에 거의 가까이 왔을 때였다. "쿵." 아니 "퍽" 소리가 났다. 제법 큰 소리였다. 심장이 먼저 반응했다. 쿵쾅쿵쾅. 나는 갓길로 차를 세웠다. 내 뒤에는 차량들이 비상등을 켰고 주변 사람들이 어수선하게 몰려들고 있었다. 어떤 진동도 느낀 것 같았다.

'내가 사람을 쳤나?' '내가 사람을 쳤으면 어떡하지?'

순간 뇌가 얼어붙은 듯 블랙아웃이 되었다. 남편에게 와달라고 전화를 하고 사고현장으로 달려갔다. 마침 도로 위운전자 중에 경찰이 있었고 1분도 채 되지 않아 구급차와 경찰들이 왔다. 한 남자가 쓰러져 있었고, 사고를 낸 것으로 추정되는 차량에서 한 아주머니가 울먹이며 내렸다. 아주머니 차량을 보니 찌그러져 있었다. 아주머니는 자신이 사람을 친 것 같다고 했다. "아아 평생 착하게 열심히 살면 무엇 하나. 내게 이런 일이 일어나다니…"하며 신음하셨다.

나는 경찰에게 제가 사람을 친 것 같기도 하고 스쳐 지나친 것 같기도 하고 잘 모르겠다고 덜덜 떨며 말했다. 경찰은 목격자 신분으로 내 전화번호를 가져가며 우선 귀가하라고 했다. '주님, 우선 저 사람을 살려주소서. 그리고 제게 과오가 없게 하소서. 혹시나 과오가 있다면 벌을 달게 받겠습니다.'

집에 가는 도중 경찰에게 다시 연락이 왔다. 블랙박스 확인을 위해 방문해달라고 했다. 블랙박스 파일을 경찰에 넘기고 집에 와서 다시 차량의 흔적을 확인하고 후방 영상을 확인했다. 피해자 남자는 중앙선에 서 있었고, 내 뒤에 오던 차량이 좌회전을 위해 1차선에 붙으면서 그 피해자를 쳤다. 피해자는 구르면서 반대 차선 차량에 다시 치었던 것이다. 그 남자는 왜 중앙선에 서 있었을까.

매일 응급실에서 자살시도자를 만나는 내게는 의심되는 상황이었다. 하지만 실수였을지도 모르고 술에 취했을지도 모르고 단순한 무단행단이었을지도 모른다. 가능하다면 도움을 받아 속히 회복하여 새로운 삶을 누렸으면 하는 마음이 컸다. 시간마다 기도가 나왔다.

지루한 날이 계속 된다고 불평하지 않기로 하였다. 무탈함이 가장 큰 복이라고 생각한 최초의 날이었다.

오기로 산다

 최근 이사 온 곳에서 흥미로운 일들이 제법 생긴다. 이곳은 서울 서초구나 대구 수성구 까지는 아니더라도 못지않게 팽팽한 긴장감을 자아내는 곳이다. (멋모르고 들어와서 고생 중임.) 2016년 울산 조선소 동네로 이사 와서 줄곧 바닷가에 정붙이고 살다가 사택이 사라지면서 중심지로 나오게 되었다. 마당 있는 울주군 집을 고집하다가 출퇴근이 멀어지는 남편을 위해 시골을 포기하였다. 지금 사는 이곳도 감사하게 여기며 살고 있지만, 촌뜨기로 살다가 오니 멀어진 교육의 간극을 채우기 위해 우리는 부단히도 적응 중이었다.

 목동에서 초중고를 나온 남편과 강남에서 초중고를 졸업한 나는 학원과 선행의 부질없음을 깨닫고 여태껏 애들 학원을 보내지 않았다. 전학 온 아이들의 선행과 학습량이 대단한 것을 보고 긴장을 느낀 아이들과 우리는 이제 좀 해보겠다고 영어학원을 보내기 시작했다. (엄마표 영어는 진작 포기했다. 아이들과 사이만 나빠질 뿐. 차라리 학원비를 벌겠다고 하였다.)

열심히 공부하고 배우는 건 좋은데 우스운 상황들을 계속 겪다보니 오기가 생겼다. 아파트 주차장에 널린 외제차들, 의사나 −사로 끝나는 직업이 아닌 자들에 대한 은근한 무시, 고작 아홉 살인 아이들이 통장에 몇 억 있는지 자랑하며 붙는 배틀, (알뜰살뜰 30만원 모은 막내가 놀라서 집에 와서 털어 놓음.) 지금 수능을 보아도 수상할 것 없는 중학생. 아래위로 명품을 휘두르며 나의 상냥한 인사에 고개만 까닥이던 여편네. 솔직히 역겹다 못해 우스웠다. 진짜 이런 세상이 있구나 싶었다.

"적어도 사람에게 상류니 하류니 하고 등급을 매기려거든 좀 제대로 매겨라. 그저 돈만 있으면 상류냐? 사람에겐 사람만이 지닐 수 있는 품성이란 게 정신이란 게 따로 있는 법이고 이게 올바로 박히고 이게 고상해야 사람값이 나가 상류고 나발이고 되는 거야 하고. 그리고 바로 내가 그런 종류의 상류라도 되는 듯이 고개를 도도하게 곧추세우고 몸을 도사려본다. 이런 내 몸집은 오기라기보다는 입이 험한 내 아들이 잘 쓰는 말로 하면 똥폼쯤 될지도 모르겠다."

_「오기로 산다」 중에서. | 박완서 |《쑥스러운 고백》| 문학동네

박완서 작가의 말 따라 상류층이라는 역겨운 말이 이제 하이클래스라는 단어로 바뀌어 뉴스와 드라마를 장식하고 있다. 제주국제학교가 얼마나 좋은 지 심층 취재한 예능도 있다. 좋은 교육을 받고자하는 열망 자체는 나쁘지 않다고 생각한다. 하지만 남을 밟고 일어서야 하는 구별되고 차별화된 교육을 추구하는 것에 대한 경계심은 늘 있다. 그 좋

은 교육이라는 거. 이왕이면 공교육에서 다 이루어지면 얼마나 좋을까!

최근 한 기사를 읽고 남편에게 공유했다. 애쓰고 수고하는 우리 부부가 스스로를 안위하는 나름의 방식이다.

"이른 바 좋은 교육을 한다는 서구권에선 늘 건설적으로 비판하기를 훈련했지만, 한국에선 그렇지 않았다. 그렇게 힘들게 공부해서 서울대에 왔는데 뭘 배웠는지 기억도 안 난다. 남은 게 뭔지 생각하면 허무하다. 작은 일이라도 성취감을 느끼도록 해야 한다. 그게 꼭 공부일 필요는 없다."
_이수형 교수

어쩌면 오기일 수도 있고, 발악일 수도 있는 나의 충만한 바람들이 세대가 지나면 오징어 땅콩처럼 추억 삼아 씹는 소재가 될 수 있는 똥폼 없는 세상이 되어 있을까. 우선 오늘은 아이들과 맛난 집밥을 먹기로 한다. 핸드폰이 생긴 딸에게 문자가 신나게 온다.

"엄마 오늘 메뉴는 뭐야?"
"엄마 독서 모임 해?"
"엄마 나 농협 단감 먹고 싶어!"
"엄마 초성 퀴즈 맞춰봐. ㅅㄹㅎ"

유경씨의 일일

#닭의 온기

아들들의 오랜 친구 집을 방문하였다.

친구 집은 이미 동물농장이 되어있었다.

합방을 기다리는 가재들, 물고기, 병아리 몇 마리와 닭이
된 롯.

급격한 속도로 생육하고 번성하는 데 소명을 다하고 있는
집이었다.

롯은 수탉의 이름이다. (롯데리아의 롯이라는데? 이유를
묻지 못했다.)

여하튼 농장에서 얻어온 청계 유정란이 21일 만에
부화하여 건강하게 자란 것.

아파트에서 닭 사육이라니.

심지어 롯은 본인이 닭이라는 것을 인식하지 못하고,

사람들의 손길을 구하고, 얌전히 걷고, 쓰다듬어주면
잠들고,

주인에게 와서 자신을 예뻐해 달라고 한다.

반려견이나 반려묘 못지않은 사랑을 주고받고 있었다.
딸들은 병아리와 닭을 꼭 품고 집에 가지 않겠다고 하는데
내가 이토록 생소한 이유는
닭을 '치킨'으로만 만나왔기 때문이리라.
실제 닭은 참 따뜻했다.

#어린시절
친구네 집을 나와
울산에 처음 와서 살던 사택부지로 가 보았다.
다 허물어져 있었고,
아파트 숲이 들어서고 있었다.
"다시 돌아오고 싶어."
눈에는 흔적도 없는 곳인데 딸들은 자신들의
행복했던 어린 시절로 돌아가고 싶어 하였다.
지금도 어리면서 말이다.
딸들의 3년 전 어린 시절 가방을 꺼내 닦고 정리하니
늘 들고 다니던 물건들이 나왔다.
나무 조각, 초콜릿, 색연필과 종이뭉치.
이것만으로 행복했던 그때, 그때였구나.
돌아가고 싶겠다, 정말. 나도 그래.

#포켓몬빵
집에 가기 전 어스름한 저녁 편의점에 들렀다.
과자 몇 개와 홀스 사탕 두 개를 사들고는 문을 나서려는
찰나.
"어머님... 혹시 포켓몬 빵 안 필요하세요?"

"네? 포켓몬 빵이요? 그게 있나요?"

"네, 저기 빵 진열대에 있는데 아무도 못 보시네요. 혹시 애들이 좋아할 것 같아서 말씀드려봤어요."

"어머, 완전 필요하죠. 제가 살게요!"

"좋아하시니 다행이네요!"

"그럼요. 먼저 말해주시고 감사해요. 이 은혜 잊지 않을게요!"

은혜라니.

아르바이트생이 우스워 박장대소한다.

줄서서 구한다는 포켓몬 빵이 뜻하지 않던 때에 그냥 주어졌으니 이야말로 은혜 아닌가.

집에 가는 길이 무척 즐거워졌다.

나도 우리 공주님이야

생이 유한한 건 알지만, 하루에 갇히다보면 삶이 아득하다. 코로나로 격리되었다가 다시 복귀한 일터에서 콜록콜록 기침을 하며 하루 운영 일지를 썼다. 그래야 간신히 하루를 보낸 것만 같았다. 마흔을 훌쩍 넘기고 또 새로운 업무를 배우고 적응해야 했다. 빨리 적응하고 너른 자리로 나아가고 싶지만 어림없는 소리였다.

"Drawing is the root of everything."_Vincent van Gogh

나의 사랑하는 반 고흐가 말했다. 그를 사랑하는 이유는 그가 살아있을 생전에 인정과 평가를 받지 못했기 때문이다. 그에게 미안하지만. 그토록 열심히 살고 끝내 미쳐버린 그가 그렇게 가여우면서도 좋았다.

소묘가 모든 것의 기본이 되듯, 점묘로 그림 하나를 완성하듯 하루의 점을 찍어야 나라는 사람이 되고, 아이들이 생명으로 차오른다. drawing이 모든 것의 root라면 내 삶의 root는 '성실함' 정도 될까. 가진 재주도 없고, 집도 절도 없으니 오로지 성실 하나 내세워 죽을힘을 다해 산다. 죽을힘을 다해 산다는 말. 이 말 이상으로 어떻게 더 표현할 수 있을까.

바이러스 어택으로 아직 깨지 못한 몽롱한 몸과 마음으로 출근길에 섰다. 집에는 열이 펄펄 끓어 축 늘어진 아이들이 있고, 그 아이들을 돌보며 재택근무 하는 남편이 있었다. 남편은 저녁에 먹거리를 좀 사오라 한다. 아내의 생일에 아내에게 장보기를 시켜 미안해했다. 나는 괜찮다고 했다. 그래도 오늘은 모처럼 소고기를 먹기로 했다.

마흔 둘 생일에 밥벌이를 하고, 아픈 가족을 돌본다. 모두가 다 그렇게 살지만 더 뿌리 채 흔들리기 전에 견뎌야 함을 깨닫는다. 평소 좋아하는 문학평론가이자 목사인 김기석 작가의 말을 찾아 긴급 처방을 듣는다.

"절망하지 않고 아주 작게 쪼개서 그 일을 해나가면서 인내할 줄 아는 거. 이것이 아름다운 삶의 길입니다. 우리는 시간을 그렇게 채워가야 하는지도 모릅니다. 시간을 그렇게 충실함으로 채워져야 합니다. 우리의 인생이라는 게 오늘의 점철이라고 말하니까, 오늘 우리에게 주어져 있는 시간을 어떻게 사느냐 하는 것이 인생의 내용을 만들어 낸다고 볼 수 있겠습니다."

집에 오니 따뜻한 미역국이 있다. 아이들의 오밀조밀 손편지와 선물이 있다. 카톡에는 "우리 공주님"이라고 친정 아버지가 축하 문자를 보낸다. 사십 년 만에 처음 듣는 '공주'라는 단어! 나도 공주로 불리던 시절이 있었던가. 웃음이 난다. 연필가루 툭툭 떨어지는 소묘에 곱게 색이 칠해졌다. 앞으로 어떻게 잘 살겠다, 라는 거창한 계획은 없지만 지루한 우주의 눈으로 창백한 푸른 점을 본다. 그리고 그 작은 점에 살고 있는 우리를 축복한다.

"삶이 재밌지 않니. 생일 축하해"

개새끼 거리두기

_출근 전 연약한 너와 나의 의식

40년을 살아도 쌍욕을 들으면 멘탈을 온전히 유지하기 쉽지 않다. 상담 중에 마음이 틀어져 버린 한 친구에게 문자로 쌍욕 테러를 당했다. 물론 성격장애가 의심되는 친구라 병식을 인지하고 크게 상처받지 않으려고 했고, 그럭저럭 잘 넘어갔다. 그런 일로 퇴사할 수는 없었다.

대학병원 정신건강의학과에서 근무할 때도 정신적 고통은 심하였다. 전화기 넘어 들려오는 술 취한 환자들의 수십 종류의 욕을 10분 이상 듣고 있으면 내가 정말 개새끼가 된 것 같았다. 하지만 그런 일도 한 달 정도 지나면 무뎌지기도 한다. 자살시도자들의 고통을 헤아리는 일이 내 일이기도 했으니까.

그 날은 오랜만에 찾아온 두통으로 종일 누워 있다가 약 기운에 힘입어 대공원 숲으로 나간 날이었다. 남편과 통화를 하느라 처음에는 잘 듣지 못했다. 길 건너 남자아이들 무리가 랩을 가장한 욕을 흥얼거리는 것 같았다. 이상하게 계속 기분이 더러웠다. 띄엄띄엄 들린 욕을 조합해 보니 불특정 다수에게 쏟아붓는 그들의 저급한 놀이였다. 나는 그 불특정 다수의 특정인이 되어버렸던 것이다. ○○○에 사는 미친년이 되어버린 것이었다. 아, 이 기겁할 놈들. (시할머니가 자주 쓰시던 표현-)

욕에 담긴 저주의 힘은 어마어마하다. 즉 말에 온갖 분노와 혐오를 담고 내뱉으면 실제 칼이 되고 총알이 되어 그 사람의 영혼에 쿡 박힌다는 말이다. 나름 건강하다고 생각한 사회복지사인 나도 이렇게 휘청거리니 아이들은 오죽할까. 며칠 전에는 부모의 화풀이 대상이 된 아이가 욕설과 폭력에 노출되어 그간의 일을 털어놓으며 눈물을 뚝뚝 흘린 일이 있었다. 상담 중에 우는 일이 없지만, 그날은 나도 눈물을 꾹 참다가 툭, 흘렸다.

"이것만은 분명해. 네 잘못이 아니야. 선생님이 대신 사과할게. 어른들이 잘못한 거야. 그리고 너는 이미 충분히 멋있고, 훌륭해. 정말."

진심을 다해 꾹꾹 눌러 생기를 불어 넣어주었다. 후, 후, 커져라, 커져라 너의 자존감이여! 주문을 외우며 말이다.

내가 이 글을 쓰는 이유도, 나에게 생기를 주고 개새끼와 거리를 두기 위해서다. 병이 있든 없든 그럴만한 사람이든 아니든 그 어떤 사람에게 듣는 욕과 감정에서 거리를 두고 나를 지키기 위해서다. 나도 욕을 하면 좀 나아질까. 드라마 '나의 해방일지' 염미정처럼, 개새끼 한번 내뱉으면 치유가 될까. 사실 해봤다. 해보면 안다. 시원하게 내뱉어도 찌꺼기처럼 남아있는 게 영 마음이 찜찜하다.

일과 나를 분리하기, 부정의 감정과 거리두기, 개새끼 같은 세상에서 잘 존재하기. 긴긴밤 살아남기 위해 몸부림치는 연약한 너와 나를 위한 끄적임. 출근 10시간 전 거룩한 의식이다.

"하지만 우리는 살아남았다. 세상에 마지막 남은 하나가 되었지만 복수를 할 수 없는 흰바위코뿔소와 불운한 검은 점이 박힌 알에서 목숨을 빚지고 태어난 어린 펭귄이었지만, 우리는 긴긴밤을 넘어, 그렇게 살아남았다."(104p)

_루리, 『긴긴밤』, 문학동네

수고로움 레시피

대충 막 하지만 이상하게 맛있는 둥둥이네 밥상

떡국과 비빔만두

나는 멸치육수를 좋아하지만 아이들은 한우곰탕에 떡국 떡을 넣어 간단하게 다진 마늘, 국간장, 소금, 파 정도만 간을 해서 준다.
떡국만 먹기 아쉬워 김치전이나 다른 반찬을 하나 더 곁들이는데 인기가 좋은 메뉴는 비빔만두이다. 집에 있는 야채들 모아 채 썰어 비빔고추장 소스만 뿌리면 되는데 아이들이 많이 매워하면 고추장은 조금만 넣고 딸기잼, 식초, 올리고당, 참기름 등을 섞어 양념 소스를 만든다. 튀김만두는 한살림 야채만두를 썼는데 맛이 좋다.

만나고 닿은 그곳이 오리진

　고향. 태어나서 자란 곳. 이제 우리 아이들에게는 울산이
고향이다. 초등학교에서 <내 고장 울산>이라는 교과목을
배우더니 반구대암각화, 간절곶 등을 가보자고 한다. 울산
과학관은 시립이며, 간절곶은 우리나라에서 해가 제일 먼
저 뜨는 곳이고, 반구대암각화에는 신석기 시대의 '고래'
그림이 있는 곳이라며 앞 다투어 설명한다. 이미 지난 6년
동안 수차례 가본 곳들이지만 'my hometown, my origin'
이라는 애정 어린 마음이 생기니 배우고 경험하는 모든 울
산이 생경하고 좋은가 보다.
　마치 '센과 치히로의 행방불명'에서 이상한 터널을 지나
듯, '나니아 연대기'에서 옷장 문을 열 듯 신비로운 느낌마
저 자아내는 숲길. 사방에 날아든 은사시 나무 꽃씨들과
대나무 무리, 숱한 세월 동안 쌓인 지층과 계곡절벽, 공룡
발자국, 조선시대 불리던 연로개수기 고갯길을 지나 반구
대암각화를 만났다. 박물관 입구에서 15분이면 갈 거리를

30분에 걸쳐 도착했다. 아이들은 그냥 걷지 않았기 때문이다. 고고학자처럼 눈에 보이는 모든 풍경들에 호기심을 가지고 질문을 던졌다. "저 문은 무엇이지?" "저 글씨는 무엇이지?" "저 무덤은 누구의 것이지?" 죽어가는 벌과 뒤집힌 사슴풍뎅이를 보면서도 골똘히 생각한다. "넌 왜 이곳에 있는 것일까."

반구대암각화에는 약 7천 년 전에 우리와 비슷하게 생긴 사람들이 꾹꾹 눌러 새긴 300여 점의 그림들이 있었다. 흰수염고래, 범고래, 귀신고래 등 고래 종류만도 7점이 넘고, 새끼를 태운 고래와 작살에 사냥당한 고래, 해체작업의 고래까지 역동적인 구도가 가득했다. 호랑이, 사슴, 활과 사람, 제사장, 가면 등 비와 바람을 피해 고이 간직된 그림을 보며 나는 생각했다. '역사는 기록된 자의 것이다.'가 아닌 '우리 민족은 참 흔적 남기기 좋아한다.'를. 유명한 식당이나 관광지에 가면 흔히 볼 수 있는 "김땡땡왔다 감" "이땡땡 바보" "우리 사이 영원히." "철이+하트+미애" 등의 문장들. 흔적 남기기 좋아하는 유전자 덕에 우리는 역사를 이어갈 수 있는 것 아닐까. (아, 철이와 미애라니. mz세대들께 죄송.)

아이들은 울산을 부를 때 '우리나라'처럼 '우리 울산'이라고 말한다. 사실 나는 아직까지도 '우리 울산'이라고 생각한 적이 없지만, 간혹 서울 가서 친구들을 만나면 나도 모르게 "그 연예인 우리 울산 출신이잖아."라고 한다. 친구들은 배꼽을 잡는다. "그게 중요해? 울산 출신이라는 것이?"라며 놀리기 바쁘다. 울산에서는 서울 사람, 서울 가면 울산 사는 여자인 니에게는 고향이란 곳이 딱히 없다. 경기도 안양 비산병원에서 태어나 과천과 부천을 오고갔으며 초중고는 서울에서 자랐다. 호주에서도 살아보고 결혼해서 포항과 광명, 인도 뉴델리에서도 살았다. 강원도와 전라도, 제주도에서도 살아보고 싶지만 지금은 런던에서 살고 싶은 참으로 바람 같은 여자다.

닿지 못하면 더 그리운 법. 북녘에 부모와 자식을 두고 온 실향민들의 마음은 이제 책이나 영화, 기사로만 헤아린다. 언젠가 나에게 울산은 그립고 그리운 곳이 될 테고, 아이들에게는 감히 고향이라고 부를 수 있는 곳이 될 것이다. 태어나지 않았지만 자란 곳. 큰 둥이들이 일곱 살, 작은 둥이들이 네 살에 내려왔다. 이제 큰 둥이들은 열세 살이 되어 174cm, 변성기로 큼큼거리는 사춘기가 되었다. 열 살 작은 둥이들은 제법 숙녀티가 난다. 나의 네 아이들은 이곳에서 키와 마음이 자랐다. 많은 이들의 수고와 섬김을 받았다. 파도소리와 선박소리를 들었고, 모래와 흙을 밟고 짠물을 마셨다. 사투리를 앵무새처럼 따라했고, 문수구장에서 울산 현대를 목청껏 외쳤다. 대공원 놀이터와 십리대숲, 태화강변, 선바위를 따라 자전거를 탔다. 그리고 국밥을 셀 수 없이 먹었다. 서울에서 태어났지만 아이들에게 울산은 오리진이 되고 고향이 되었다.

다시 비밀의 문을 열고 내려오니 4월에 부는 산바람은 제법 쌀쌀했다. 딸들은 말한다.

"엄마! 하얗고 따뜻한 국물, 국밥이 먹고 싶어요!"

새로운 질서, 위로하는 자

전 교인이 먹을 성탄 간식을 며칠 동안 준비하며, 일에 일을 더하며 분주한 한 주를 보냈다. 320인 분을 준비했고 약 20 - 30여 명 분이 남았다.

교회 회계 감사를 했을 때 한 집사님의 건의 사항이 떠올랐다. "지출이 지역사회를 위해서도 더욱 많이 쓰였으면 좋겠습니다." 명색의 사회복지사라는 나는 그 부분을 간과했던 것.

지역사회와 이웃을 위해 돈을 쓴다는 것은 무엇일까. 어떻게 해야 할까. 남은 간식은 우리끼리 나눠먹지 말고 돌아다니며 가게에, 택시 기사님들께, 택배 기사님들께 드렸어야 했는데. 오만가지 생각이 들었다.

"그리스도인들에게 주어지는 한 가지 책무가 있다면 그 책무는 무엇일까. 그리스도께서 이 땅에 도래하셨다는 사실을 삶으로 입증하는 것이다. 삶으로 입증하지 않는다면,

주님 오셨다는 증언이 공허해진다. 화해의 기쁨은 축제로 나타난다. 우리 삶의 현장이 축제로 바뀌어야 하는 까닭이다. 생명의 기적, 평화의 기적이 우리에게 나타날 때. 한 아기가 우리 위해 나타났다는 사실 참으로 입증할 것이다.

_김기석 목사 (청파교회, 문학평론가) 12월 25일 설교 중에서.

기존의 질서에 있던 사람들은 새로운 질서를 가지고 오는 이들에게 불온의 낙인을 찍는다고 하였다. 이제 나는 점점 기존의 질서에 익숙한 사람이 되어간다. 매일 안주하고 싶고 숨고 싶다.

우리끼리 먹고 떠들고 즐거운 성탄은 유독 내게 죄책감이 된다. 하지만 25일 하루 선을 행한다고 그 무엇이 달라질까. 삶으로 태도로 또한 살아가는 방향으로 나타나길 기도하고 고민한다. 나는 직접 선을 행하지 못하고 직업을 택하였고 고생한 수고를 돈으로 받으니 내세울 것도 없다.

예수 그리스도께서 가장 취약한 모습으로 이 땅에 오신 이유를 생각하며, 매일토록 내가 만나는 고통 속에 있는 아이들과 부모님들을 위해 기도하는 것 그것 하나 더해졌을 뿐이다. 1년 간 위로하는 자로 살았다. 내년은 어찌 될지 모르겠지만, 계속 발로 뛰며 위로한다. 모두에게 평화를, 기쁨을, 화평을. 메리 크리스마스.

나의 노화 일지

"어른이 된다는 건 사실 어떤 완성이 아니라 상실과 훼손과 망각으로 향하는 서글픈 과정일지도 모른다."(33p)_ 박수민, <탐독의 만화경> 중에서.

이마에 안경을 붙이고 핸드폰을 보는 정수리가 휑한 아저씨를 보니 예전에는 우스웠는데 요즘은 서글프다. 저 사람은 언제 늙었다고 느꼈을까. 핸드폰 화면 글자를 키우고, 돋보기를 머리에 올려 쓰는 시기였을까. 나의 30대 신체 나이는 50대 같았지만 진짜 노화를 느낀 건 올해부터였다.

골반부터 무릎 발목까지 저릿저릿하였다. 언제나 병원은 마지막이다. 정형외과를 방문하여 그동안 열심히 운동했는데 왜 아픈지 모르겠다고 하소연하였다. 의사는 척추 4번 5번이 많이 망가졌으며, 협착으로 4번 신경이 눌렸고 꽤 심각하다고 말하였다. 척추 신경 옆에 맞는 주사는 무섭지만 우선 처치를 하기로 했다. 눈치 빠른 의사는 내가 오지 않을까봐 확인 문자까지 주었다. 신경차단술 주사를 맞았지만 처음에 변화가 없었다. 많이 막혀 있다나. 두 번째부터는 발끝까지 경련이 왔다.

주사 맞고 어기적거리며 걸어 나오니 서러움 폭발. 어린 둥이들을 앞뒤로 안고 업고 달리며 먹고사는 일에 수고했던 나의 몸이 가련해졌다. 여섯 식구 빨래 바구니를 나르고, 식사 준비하며 종일 서있던 날들. 워킹맘으로 전환하며 비슷한 크기의 노동을 두 배로 늘이고 고생한 시간들. 여성의 노동이란 과거에 비해 모습과 종류만 달라졌지 체감하는 수고의 비용과 크기는 비슷하다. 게다가 사회복지 한 답시고 타인의 인생에 공감하고 경청하며 염증 수치가 올라갔으니 얼마나 빨리 소진이 되었겠는가. 여하튼 그런 우울한 생각이 꼬리에 꼬리는 무는 생각들이 되어 정형외과를 나섰다. 하지만 상념에 빠질 새도 없이 안과에 갔다. 그 야말로 병원투어가 시작된 것이었다.

시모님은 돋보기를 찾으며 "너희도 금방이다. 노안(老眼)은 45세에 온다."며 미리 경고를 하였다. 만 나이 42세 닭띠인 나에게 그 노안은 빨리 찾아왔다. 내 손에서 점점 멀어지는 책과 핸드폰. 눈을 아무리 비벼보아도 선명해지지 않을 때의 그 충격과 공포. 하지만 안과 의사는 다정했다. 노안이 조금 빨리 찾아왔으나 다행히 백내장 등의 안과 질환은 없다며 괜찮다고 위로하였다. 아직 꼬여있어서 그 위로가 달갑게 들리지 않았다. '다들 왜 괜찮다고만 할까.'

집 근처 안경원에서 돋보기를 맞추었다. 내 울적한 표정을 캐치한 20년 베테랑 안경사는 눈살 찌푸리면 주름 생

기고 보톡스만 맞게 되니 마음 편하게 가지라며 또 위로하였다. '오늘 다들 왜이래, 몰래 카메라야?'

이 글을 쓰던 나와 며칠 후 나는 또 다르다. 갑자기 찾아온 노화가 쓸쓸하기만 하지도 않다. 돋보기 안경이 신기하여 요리조리 써보고 사진도 찍어보았다. 인간의 최고 권리는 변덕이라고도 하지 않는가. 편견, 고정관념, 한두 가지 감정에 사로잡히지 말고 다양하고 풍성해지라는 진짜 다정한 말을 듣고는 내친김에 생각이라는 걸 해보기로 한다.

노안老眼을 로안路安으로 바꿔본다. '一路平安'은 먼 길이나 여행 중의 평안함이라는 뜻이다. 흐릿하게 보이는 걸 억지로 선명하게 보아 일일이 따지고 살면 피곤해지니 남은 생은 흐릿하게 살면 어떨지 스스로에게 권한다. 지랄맞은 성격상 자신은 없지만 매일 조금씩 평안을 구하기로. 허리의 뼈들은 주저앉고, 안구의 근력과 시신경이 약해져 서럽더라도 슬퍼하지 말길. 평안을 쟁취하길. 이것이 나의 노화에 대한 의지요, 투쟁이요 푸념이다. 그나저나 더 가볍고 힙한 돋보기는 없을까?

수고로움 레시피

연어를 좋아하는 편은 아니지만 가끔 먹는다.
연어를 먹으면 왠지 노화의 속도를 늦추어 줄 것만 같다.
PA, DHA 등 오메가3 지방산 함유로 고혈압, 동맥경화, 심장병,
뇌졸중 등 혈관 질환을 예방한다고 한다. 연어는 대형마트에서 파는
양파드레싱이랑 먹으면 제일 맛있다. 하지만 잘 먹지 않는다.
큰 생선에는 중금속 등이 많이 누적되어 있을 테고, 후쿠시마
원전사고 이후의 오염수를 먹고 산 수산물들이 많을 테니. 맛있게
먹으면 0칼로리처럼, 맛있게 먹으면 무해함이라고 우기고 싶다.

금쪽이들을 위한 기도

주님.

옆 친구가 경쟁자가 되고, 교권이 무너지고, 내 아이만 소중해지는 안타까운 현실 앞에서 오늘은 학교와 선생님, 아이들과 부모님 위해 기도합니다.

정직하고 성실하게 가르치고 노력해도 목소리를 낼 수 없는 선생님들, 가정에서도 보호받지 못하는 아이들과 스스로 괴로운 친구들을 위해 기도합니다. 또한 먹고 사느라 분주하여 아이들과 식탁에 마주할 시간도 없는 부모들을 위해서도 기도합니다.

아이들을 사랑하는 마음으로 현장에서 노력하는 선생님들 위로하시고, 그 수고가 되레 힐난과 비난의 화살이 되어 돌아온다면 남은 시간 고통 받지 않도록 억울함을 풀어주소서. 다시 교사의 사명과 보람으로 일어설 수 있도록 현장에 있는 교사들의 권리와 뜻과 소명을 세워주소서.

치료와 보호가 필요한 금쪽이들, 때로는 피해자가 되고 가해자가 되는 고통스러운 시간에서 구원하소서. 스스로를 괴롭게 하지 마시고 부정적인 정서와 폭력에 사로잡히지 않도록, 이겨내도록 도우소서. 구체적으로 그들을 돕고 돌볼 수 있는 지역사회와 좋은 어른을 만나도록 인도하소서.

그 금쪽이들과 함께 생활하는 다른 금쪽이들, 우리 아이들에게도 주님의 긍휼과 선함을 닮아 멋진 학교 공동체 만들어가도록 도우소서. 세상의 가벼운 가치관들 (가령 이기심과 무관심, 외모지상주의나 외모비하, 물질만능주의 등)에 휩쓸리지 않고, 성실과 선함이 바보가 아니라 진짜 멋진 거라는 걸 알도록 하소서.

못난 어른들과 부모들 위해 기도하고 싶지 않지만, 그래도 기도합니다. 더 이상 진상 학부모 노릇 그만두고 겸손하고 너른 마음으로 자녀를 키우고 남을 대하도록 하소서. 내 자식 귀한 만큼 남의 자식 귀한 줄 알게 하시고, 내 아이 잘되길 원하는 만큼 함께 더불어 살아가는 공동체 의식 갖게 하소서. 특히, 자녀 때리고 학업 강요하고 교사들에게 말 함부로 하는 자들에게 정신 번쩍 차리게 할 날이 오게 하소서.

그럼에도 감사한 것이 있습니다. 좋은 어른이 되어주는, 좋은 부모와 스승이 되는 분들이 많아 참 다행입니다. 힘을 내어 환하게 웃는 우리 아이들 미소가 보여 다행입니다. '천천히, 오래, 다정하게' 아이들과 만나고 싶다는 한 국어 교사의 고백처럼 대한민국 교육이 천천히, 오래, 다정하게 그리고 성숙하고 멋지게 성장하길 기도하고 또 기도합니다. 두 손 모아, 아멘.

 2023년 7월 12일 이 글을 썼고, 2023년 7월 18일 서울 서이초등학교 교사가 스스로 목숨을 끊었다. 그녀는 2024년 2월 27일에서야 순직으로 인정되었다. 아동학대 현장에서 상담원으로, 초·중·생 자녀를 둔 학부모로, 청년들의 동료이자 어른으로, 현장 교사의 가족으로 최근 몇 년간 지내며 숱하게 고민했던 것을 기도로 올려 보았지만 현실은 기도만큼 빨리 변화되지 않았다. 그럼에도 절망하는 가운데 <함께 여는 국어교육> 간행물을 구독하면서 희망을 보았다. 해맑게 웃으며 학교 이야기를 전해주는 중1 아들 얼굴에서 미래를 보았다. 몇 년 전 자살시도자를 구한 시민들의 사진의 꽁꽁 매는 밧줄처럼, 보이지 않는 사랑의 힘이 가정과 교육의 현장에 움트길 다시 또 기도한다.

빈곤 포르노

*빈곤포르노, Poverty Pornography
: 모금 유도를 위해 가난을 자극적으로 묘사하여 동정심을 불러일으키는 영상이나 사진 등을 말한다. _ 네이버, 시사 상식사전.

나도 한 때 빈곤포르노를 이용하여 후원자 모으기에 열과 성을 다할 때가 있었다. 국제NGO단체에서 저금통을 모으고, 길거리에 나서 외치고, 기업과 학교마다 교육을 다니며 영상과 사진, 사례 등을 언급하며 후원자들의 지갑을 열었다. 이후 이직한 교회 재단에서도 제일 먼저 한 일이 cms 개설하고 후원자를 모으는 일이었다. 건강한 기부문화를 만들기 역부족이었지만, 사회복지 서비스제공을 위해 중간 전달자 역할은 명확하게 하였다.

오랜 세월이 지났다. 모금개발자에서 다양한 단체의 후원자가 되었다. 환경연합운동, 작은 시민단체, 사이버성폭력, 두 세 곳의 비영리단체와 이전 직장들, 카톨릭 신문과 작은 언론단체, 기독교 관련 선교 단체 등등 후원하는 곳이 꽤 많아졌다. 큰 금액을 투척하여 인증 샷 같은 거 날리고 실지만 소액후원자 유지도 힘들었다. 그 소액이 또 얼마나 귀한지 모금활동 해본 사람은 다 안다.

그리고 지금은 다시 사회복지사다. 후원금이 잘 쓰이도록 직접 서비스를 제공하고 사례관리를 한다. 아동, 청소년 그리고 성인들까지 과거 폭력과 고통의 트라우마를 극복하고, 안전한 환경에서 지내도록 돕는다. 대충은 없다. 온갖 민원을 견디며 가난과 아픔이 무한 반복되는 가정 속에 들어간다. 경찰서와 학교, 지자체마다 다니며 회의하고 머리를 맞댄다. 한 여청계 경찰은 신고 받고 출동하며 지옥에 들어서는 것 같다고 했다. 나아지지 않는 가정을 보며 무력감을 느낀 것이다. 그 무력감 속에서 조금이라도 꿈틀대는 움직임이 보이면 우리는 붙잡고 끌어낸다. 건져낸다. 물론, 잘 나오려들지 않지만.

대형NGO 단체에서 우리 기관에 빈곤포르노에 가까운 사례 발굴 요구를 하였다. 그들은 우리 지역에 사업장이 없기에 그럴듯한 스토리와 그림을 요구했던 것이다. 아이들이 직접 자기 입으로 가난을 인정하여 동정을 사달라는 일을 했어야 했다. 화가 머리끝까지 차올랐고, 이에 대한 민감성을 잃어버린 기관의 관리자들에게 결국 쓴 소리를 하고야 말았다. 그들은 또 지랄하는 내가 얼마나 싫었을지. 절이 싫으면 중이 떠나야지, 늘 떠나는 쪽은 내가 되었다.

후원자나 서비스 제공자들 중에 서비스를 받는 대상자들을 직접 만나거나 그 일에 참여하고 싶어 하는 사람들이 꽤 있다. 나는 그들에게 이렇게 얘기한다.

"왜 만나고 싶은가요? 만나서 어떤 기분을 느끼고 싶으신가요? 연탄 배달이라도 해서 그림을 만들어가고 싶은가요? 돈을 주고 싶다면 저희를 주세요. 전문가들이 잘 전달할 수 있도록 믿어주세요. 그분들은 이미 충분히 상대적 박탈감을 느끼고 있습니다. 예쁜 그림은 기대하지 마세요."

이십 년 전 미처 사회복지사가 되기도 전에 나는 휴학하고 여러 나라를 다녔고 그 중 호주에게 땅을 빼앗긴 지역 주민들을 만나 사역을 하기도 했다. 당시 기도하며 고민하며 예수님이 내게 주신 마음은 "그들과 친구가 되라"였다. 그들을 얕보거나 함부로 대하거나 쉽게 여기지 않으려고 무단히도 노력했다. 그들보다 잘 살게 되었다고 안도하지 않기를, 우월해지지 않기를 늘 긴장하며 여전히 일하고 있다. 의식을 바꾸고 행동을 바꾸는 일과 창조적으로 사회복지 하기는 정말 어렵다. 결국 지랄만 하는 내 문제일 수도 있다. 젠장.

"만약 변혁이 외부 구조상의 변화만 일으키고 우리의 의식은 바꾸지 못한다면 과거를 반복할 뿐이다."

_<자끄 엘룰 묵상집> 4월 3일자 중에서.

내 아이 상담하는 엄마

오늘 유난히 피곤했다는 아들은 학교 다녀와서 낮잠을 잤다. 반에서 한 아이가 문맥에 맞지 않게 웃거나 소리를 내고, 밈을 쉴 새 없이 부르거나 반복 행동을 했단다. 대략 어떤 아이인지 알 것 같았다. 다양한 친구들이 존재하는 작은 사회에서, 그 아이의 산만함과 부주의함을 함께 분담하는 반 친구들의 정신적 피로함이 느껴졌다. 유독 고요함을 즐기는 둘째 아들에게는 쉽지 않을 학교생활이었다.

함께 나아지고 성장하는 것을 빠른 시일 내에 경험하면 좋겠지만, 안타깝게도 그 일이 얼마나 더디고 어려운 지를 충분히 알고 있다. 통계를 따로 내 보진 않았지만, 고통과 어려움 중에 있는 사람이 정서적으로 건강한 사람보다 월등히 많으면 그 성장의 속도는 더 느려진다. 아들들이 가게 된 학교는 지역적 특성상 상담과 복지서비스가 많이 투입되는 곳이다.

하지만 언제나 변수는 있다. 경제적으로 잘 사는 지역의 아이들이 더 행복하거나, 그 학교에 다니는 정서적 어려움을 가진 친구가 넉넉한 돌봄을 받는 것도 아니다. 오히려 상대적 박탈감을 느끼고 좌절을 느끼기도 한다. 세심하게 말하고 행동하는 성숙한 시민이 턱없이 부족하다는 이야기이기도 하다.

다시 현장을 뛰면서 참 많은 학교를 다니고, 사람들을 만나고 상담(아니 면담에 가까운)을 한다. 나름의 직관력과 경험치가 있어 노련한 사람으로 평가받을 수 있지만, 한계와 좌절 속에 공부의 필요성을 절실히 느꼈다. 공부하고 싶다고 말할 때 간혹 사람들이 돈 많이 든다고 말렸다. 휘청거리며 스스로가 쪼그라들었다. 그러게, 그냥 꽃이나 보고 맛있는 밥이나 먹고 애들이나 키우지 뭣 때문에 나는 고생하려는 걸까. 하지만 '중꺾마' 정신으로 살아난다. "언제나 중요한 건 꺾이지 않는 마음" 아니 꺾여도 다시 일어나는 마음.

여러 아이들을 살리는 일은 못하더라도, 당장 내 아이는 살릴 수 있다면 공부할 명분은 충분했다. 며칠 전 아빠와의 사소한 갈등으로 울음을 터뜨린 첫째에게 내가 다가갈 수 있었던 것은 그것이다. 나는 첫째 손을 꼭 잡고 여러 이야기를 해주었다. 첫째는 엉엉 울며 말했다. "엄마, 그럼 난 어떻게 해야 해? 어떻게 해야 내 감정을 컨트롤 할 수 있어?" "아들아. 엄마는 지금도 감정 조절하기 쉽지 않아. 게다가 너는 사춘기잖아. 전두엽으로 인한 논리적 사고 보다는 감정이 앞설 수 있어. 그리고 넌 동생보다 세심하고 공감을 잘 하잖아. 쉽게 감정의 전이가 일어날 테고. 대신 부정적인 감정이 생각을 앞서 실수를 할 것 같으면 심호흡을 하고 몇 번 참아봐. 자 따라 해봐, 호흡은 이렇게 하는 거야."

첫째와 나는 손을 꼭 잡고 호흡을 했다. 그리고 안아주었다. 감성이 풍성한 첫째와 이성적 사고와 표현이 뚜렷한 둘째를 오가며 나는 그 어려운 중학생 아들들을 돌보는 임상을 14년째 하고 있는 것이다. (이 정도면 그냥 학위를 주세요!)

아들들 3학년 때 이벤트로 당첨되어 진행했던 종합심리검사 평가소견서를 이삿짐 정리하며 다시 보게 되었다. 부모 고통 척도의 점수가 높았지만 나름 스트레스를 잘 관리하며 아이와의 관계에 존경과 사랑을 잃지 않으려고 애쓴 흔적이 이제야 보여 눈물이 핑 돌았다. 제일 좋은 위로는 정확한 수치와 통계이다.

온 몸이 쑤시다. 얼마 전 들었던 동기강화 면담 강의에서 변신철 대표는 공감적 부모의 아이들이 염증 수치가 낮지만, 공감하는 부모는 염증 수치가 높다는 논문을 찾아 읽어주었다. 공감에는 엄청난 비용이 든다는 것이다. 끙끙 앓는 소리를 내어도 꾀병이 아님을. 역시 수치와 통계로 위안을 얻는 날이었다.

겉절이 김치

 먹고 싶다는 건 내 몸이 필요해서이다, 라고 굳게 믿고는 일을 저지르고야 말았다. 내 몸은 무언가를 원하고 있었는데 처음에는 알아채지 못했다. 헛헛하고 자꾸 아팠다. 기침도 유난히 오래 했다. 겨우내 귀잠, 한잠도 못하였다. 며느리가 걱정된 시모님이 서울에서 비타민 주스와 경옥고를 사서 보내주셨다. 바지런히 먹고 있지만 크게 나아지지 않았다. 와중에 들리는 몸의 소리. 엥? 겉절이 김치? 게다가 알고리즘도 내 마음을 꿰뚫듯이 겉절이 김치 영상을 추천하고 나는 참지 못하는 지경에 이르렀다.

 작년 11월 친정에서 김장을 하고 2개월이 지났고 이미 그 김치들은 모두 소멸되었다. 물론 건강하고 행복하게 소멸되었다. 마트에서 김치를 두어 포기 샀지만 어쩐지 잘 소멸되지 않고 있는 중인데, 식솔들 젓가락의 느린 속도만 보아도 알 수 있다. 이미 할머니 김치에 길들여진 것이다. 김장 김치는 서울 가면 얻어 오리라 생각하며 참고 있는데, 겉절이 김치는 참기 힘들었다. 겉절이 김치는 애벌로

절여 양념에 버무려 바로 먹는 김치를 말한다. 새콤달콤 싱싱하며 칼국수나 보쌈에도 잘 어울린다. 이것은 만들면 바로 먹어야 하는 종류의 음식이다. 살 수도 없는 노릇이었다.

나는 가끔 용기라는 걸 부리는데 하필 이때 발휘가 되었다. 배추를 사야 한다고 스스로에게 말했다. 퇴근길 남편에게 배추를 사 오라고 부탁했다. 물론 왜 사 와야 하는지에 대해서는 설명하지 않았다. 사실대로 말하면 안 사 올 것이 뻔했기 때문이다. 당연히 남편은 배춧국이나 끓이겠거니 생각했던 것 같다.

배추가 집에 도착했다. 용기를 낸 것 치고는 무서워서 이틀간 베란다에 두고 지켜보기만 했다. 특정공포증이란 이런 것일지도. 게다가 남편은 엄청나게 큰 배추를 사 왔다. 원래 배추가 이렇게 컸던가. 그냥 차라리 다 떼서 산 채로 먹어버리고 질리면 국이나 끓일까. 속이 시끄러웠다.

모든 주부가 김치를 잘 만드는 건 아니다. 아이가 많다고 대부분의 반찬을 잘 만드는 것도 아니다. 오히려 끼니를 때우고 생존을 위한 목적으로 휘뚜루마뚜루 레시피 없이 대략 만드는 경우가 더 많다. 신혼 때 겁 없이 덤볐던 김치의 실패담은 요즘도 남편이 잘난 아내의 기를 누르기 위한 목적으로 회자되곤 한다. 잘 절이지 못해 뻣뻣해진 배추로 양념을 하다가 결국 도저히 알 수 없는 맛이 나서 버렸다는 이야기. 신혼의 힘으로도 먹지 못했다는 그 김치.

"저러다 배추 썩겠어. 결국 국이나 끓이겠지."라고 말하는 남편의 시밍스러운 아랍 상인 같은 표정에 전투력 상승. 사물을 겁내지 아니하는 기개를 펼친 나는 겉절이 김치라는 것에 도전해 보기로 한 후 레시피 세 개를 찾아 나만의 레시피로 정리하였다. 때마침 쌀이 없어 찹쌀로 밥을 했는데 한 공기가 남았다. 쪽파와 부추도 남고 생강도 있고 액젓도 종류별로 있었다. 게다가 엄마가 직접 만든 새우젓이 있으니 대충 만들어도 맛있을 환경이었다. 나만 잘하면 된다.

깨끗하게 세 번 씻은 배추를 겉절이 모양으로 잘라 굵은 소금을 켜켜이 뿌리고 따뜻한 소금물에 정성스레 배추를 절였다. 용기 탱천한 15년 차 주부 앞에 항복한 모습이었다. 배와 사과와 양파, 밥, 액젓들을 넣어 갈고 역시 엄마표 매실액과 고춧가루 등을 넣어 양념을 섞었다. (이 정도면 엄마가 한 거 아닌가 싶을 정도로 엄마표가 많다.)

결과는 대만족. 워낙 기대치가 없어서인지 훌륭했다는 자체 평가를 남긴다. 애들과 남편은 먹지 않는다. 어? 어 그래. 그럴 수 있지. 어차피 나를 위해 만들었으니 크게 개의치 않는다. 벌써 몸이 낫는 착각도 든다. 몸으로 소멸되고 소화되는 김치에 들어가는 수고의 크기는 대단하다, 상상 이상이다. 불현듯 눈이 시근해진다. 달지 않고 시원한 가을 동치미, 상큼한 여름 열무김치와 얼갈이, 갓김치와 깍두기, 알타리 무김치 등 수많은 엄마의 발효 음식들. 작고 여린 체구로 무거운 것을 번쩍 들던 슈퍼우먼 엄마의 수고. 그 수고가 누적되어 허리와 다리가 아파 몸져누웠다는 소식을 멀리서 들었다. 김치로 엄마를 만났는데 못 만나서 내가 요즘 그리 아팠나 보다. 그리고 앞으로 엄마 김치를 자주 못 만날 수 있다는 상상이 자꾸만 아프게 한다.

수고로움 레시피

대충 막 하지만 이상하게 맛있는 둥둥이네 밥상

겉절이 배추김치

동생은 겉절이 김치를 좋아하고,
나는 시어빠진 묵은지를 좋아한다. 아주 가끔 겉절이 김치가 먹고
싶다. 겉절이 김치는 누룽지 밥에 먹어도 맛있고, 칼국수나 면 요리,
돼지고기 수육을 삶아 함께 먹어도 좋다. 경상도 지역에서는
'실비김치'라고 매우 매운 김치가 있는데, 매운 걸 못 먹는 나는
달달하게 해서 샐러드처럼 먹는 김치를 더 선호한다. 레시피는 온갖
영상을 보고 흉내를 냈기 때문에 수고로움 레시피라는 건 없다. 진짜
늘 대충 만들어서 문제다.
나만 맛있으면 됐지 뭐.

유해하고 무용한 사랑니

나는 이제 문명[5]인이 되었다. 아버님과 남편은 '사랑니'가 하나도 없어서 어머님은 그들을 문명인이라고 부른다. 즉 사랑니가 4개나 있는 나 같은 사람들은 미개인이라는 뜻이다. 과거, 아주 오래전 원시의 시대 물고 뜯고 씹고 딱딱한 것을 먹으며 턱관절과 하관이 발달되었을 조상님들. 시간이 흐르며 우리는 부드럽고 잘 조리된 음식들을 먹었고, 턱관절은 약해졌으며 하관이 좁아졌다. 나중에 솟아난 사랑니들은 자리가 좁아 턱 끝에 매복하여 누워있거나 빠끔 얼굴을 들이밀며 그저 조용히 자기 존재를 알릴 뿐이었다.

---

5) 문명(文明): 인류가 이룩한 물질적, 기술적, 사회 구조적인 발전. 자연 그대로의 원시적 생활에 상대하여 발전되고 세련된 삶의 양태를 뜻한다. 흔히 문화를 정신적 · 지적인 발전으로, 문명을 물질적 · 기술적인 발전으로 구별하기도 하나 그리 엄밀히 구별할 수 있는 것은 아니다. (출처: 네이버 국어 사전)

내게는 유해했고, 무용했다. 양치가 잘되지 않거나 욱신욱신 옆에 이를 누르며 통증을 유발했다. 스물일곱 직장 생활하며 쉽게 윗니 두 개를 뽑았고 당일 회사로 복귀했다. 아래 두 사랑니는 매복하여 누워 신경에 붙어 구강외과 전문의의 도움을 받으라는 조언을 들었다. 십 년 넘게 미루다가 43year 3month의 이유경(女)님은 마음을 굳게 먹었다. 우연히 방문한 집 앞 치과는 구강외과전문의였고, 친절하지 않았고, 매섭지만 자신감이 넘쳤다.

"지금이라도 당장 뽑아드려요?" 신뢰가 갔다. 그는 신경이 다칠 수도 있고, 옆에 이가 벗겨질 수 있고, 신경 회복이 안 되면 침을 질질 흘릴 수도 있고, 3시간이 걸릴 수도 있다며 최악의 상황을 감정 하나 섞지 않고 자분자분 설명해 주었다. 얄미웠다. 손이 덜덜 떨렸지만 난 2주 간격으로 각 사랑니를 25분 만에 뽑았고 오늘 마지막에 뽑힌 이를 보며 '의사님 사랑합니다'라고 홀로 마음속으로 얄미운 선생님께 사랑 고백을 하고야 말았다.

가위에 눌리면 나도 모르게 주기도문을 외우듯 사랑니 뽑기 직전 시편23편을 외웠고, '주여 이가 다 빠지고 머리도 다 빠지고 볼품없는 나라도 그날에 주님을 만나 푸른 초장에서 기뻐하며 춤을 출 수 있겠습니까?'라고 홀로 상상하며 기도하는 순간 뿌리째 무용한 것들이 세상 밖으로 나왔다. 간호사는 그것들을 들어 보여주었다. 생각보다 크기가 컸고, 여전히 위풍이 넘쳤다. 진짜 커서 지금 체중계에 올라가면 몸무게가 100그램 줄어있겠다 싶었다. 사랑니들은 미개하지만 당당했고, 지혜와 사랑을 깨닫는 시기에 태어난 wisdom tooth의 별명답게 고요하고 쌀쌀했다.

2시간 후면 마취가 풀린다. 고통을 고스란히 느끼기 전에 글로 남기고 싶었다. '든 자리는 몰라도 난 자리는 안다'고 훤히 구멍 난 잇몸이 어색하여 자꾸만 얼굴에 손이 간다. <미스터 션샤인>의 김희성이 무용한 것들을 사랑한다는 말이 참 멋져서 습관처럼 하고 다녔는데. 생각이 바뀌었다. 무용하고 유해한 것들은 젊었을 때 정리하는 게 옳다. 나이가 드니 정리도, 회복도 쉽지 않다. 웬만하며 사라지는 것들에 대해 "수고하셨습니다"라고 말을 할 텐데 오늘은 할 말도 없다. 그저 섭섭도 않고 시원하다. 후련하게 문명인의 다음 스텝을 준비하려 한다. 안녕-

할머니처럼

모두가 자고 있는 주말.
할머니처럼 혼자 새벽 5시에 일어났다.
그 유명한 잠보가 말이다.
일어난 김에 묵상하고, 밀린 신문을 읽어치웠다.
오전 9시가 넘었지만 아직도 모두 단잠에 빠져있다.
깨우고 싶기도 하고, 깨우고 싶지 않기도 하고.
최화정 언니처럼 아침을 먹고 싶어 사과에 땅콩 잼을 발랐
다.
양배추 샐러드(올리브유+레몬즙)도 하고,
감자를 삶아서 다시 올리브유에 구워서 먹었다.
맛있고 건강한 음식과 반려견 두부,
나처럼 바지런한 로봇청소기만 바지런히 움직이는 아침이
다.
두부도 감자를 잘 먹는다.
최근 공모전에 제출한 소설 속 주인공 개 이름이 감자였는
데.

두부, 감자 등의 이름이 정겹다.

오늘 눈여겨 본 한겨레신문 칼럼은 김누리 교수의 <침묵의 캠퍼스>다.

"새가 지저귀지 않는 '침묵의 봄'은 생태 위기의 도래를 경고한다. 새가 침묵하면 다음엔 인간이 침묵한다. 대학생들의 목소리가 들리지 않는 침묵의 캠퍼스는 정치적 파국의 도래를 경고한다. 대학이 침묵하면 민주공화국은 사망한다. 민주주의는 숨을 죽이고 공화주의는 숨을 거둔다."

세월이 흐를수록 건강에 집중하고, 가족의 안위와 나의 노후를 염려한다.

눈이 어두워지고 입을 닫게 되는 할머니가 아니라

끝없이 귀 기울이고 목소리를 내는 할머니가 되고 싶은데.

기운이 빠진다.

탈핵을 취소하고 원전을 짓자는 노인들.

이스라엘 전쟁을 비판하는 목소리를 거부하는 노인들.

책읽기보다 스마트 폰에 중독되는 일부 노인들.

나는 어떤 노인이 될지 감자와 양배추를 우걱우걱 씹으며 생각한다.

참, 하여간 축하할 건 축하해야지.

2024년 5월 15일.

'부처님 오신 날' '스승의 날' '한겨레창간 36돌'을 함께 축하한다.

평일 한 가운데 콕 박힌 느긋한 휴일을 가장 행복한 할머니처럼 보낸다.

이십 년 뒤에는 <할머니처럼>이라는 산문집을 내야겠다.

수고로움 레시피

대충 막 하지만 이상하게 맛있는 둥둥이네 밥상

할머니처럼 바지런하게

최화정님 개인 채널에서 나온 이야기다.
꼭 달이 빠진 우물물을 길어 벼루 물을 만들어야 하는 동자승은
물었다. "왜 꼭 달이 빠진 우물물이어야 합니까?" 스승은 "풍류가
있기 때문이니라." 하였다. "풍류가 무엇입니까?" 스승은 다시
답한다. "풍류는 아름다움을 사랑하는 마음이니라." 이런 예화를
기억하며 사는 일상은 어떨까. 오이김밥, 참외샐러드, 땅콩잼과 사과,
볶은 묵은지, 사라다빵. 그리고 꼿꼿한 자세와 한껏 올린 입술까지
따라 해보며 뻐딱한 인생이 살짝 풍류스러워지는지 실험 중이다.
아름다운 할머니가 되기까지 수고가 든다.
아름다움 생을 사랑하는 독자 분들이 되길 바라며
<수고로움_밥 짓고 먹고사는 일에 대하여>의 긴 서사를 마친다.
"수고하셨습니다!"

"그러니 밥 한 그릇을 어찌 함부로 보겠는가?"
밥을 어찌 얼렁뚱땅 짓겠는가?
밥 한 그릇에 내 삶의 태도가 담기고
내 삶의 질이 고스란히 묻어날지도 모르는데 말이다."
—— <밥 짓는 일부터 시작합니다>, 정청라, 샨티 ——

"사람이 먹고 마시며
수고하는 가운데서
심령으로 낙을 누리게 하는 것보다
나은 것이 없나니
내가 이것도 본즉
하나님의 손에서 나는 것이로다."

── 전도서 2장 24절 ──